Les recettes
préférées
de ma famille

Design graphique : Nicole Lafond
Photos : Tango
Styliste culinaire : Jacques Faucher
Styliste accessoiriste : Luce Meunier
Révision et correction : Linda Nantel
Adjointe à l'édition : Pascale Mongeon
Directrice de la production graphique : Diane Denoncourt
Traitement des images : Mélanie Sabourin
Styliste vestimentaire : Natalie Coderre
Maquilleuses : Natalee Dodon, Véronique Prud'homme
Accessoires de cuisine et de table : La Maison d'Émilie, Outremont
Vêtements de Claudette Taillefer : Kanuk, Winners
Illustration de la maison : Rosalie Taillefer Simard

DISTRIBUTEURS EXCLUSIFS :
• Pour le Canada et les États-Unis :
  MESSAGERIES ADP*
  2315, rue de la Province
  Longueuil, Québec J4G 1G4
  Tél. : 450 640-1237
  Télécopieur : 450 674-6237
* filiale du Groupe Sogides inc.,
  filiale du Groupe Livre Quebecor Media inc.

Catalogage avant publication de Bibliothèque et Archives nationales du Québec et Bibliothèque et Archives Canada

Taillefer, Claudette

Comprend un index.

Les recettes préférées de ma famille

1. Cuisine. 2. Taillefer, Claudette - Famille - Anecdotes. I. Titre.

TX714.T343 2008   641.5   C2008-941783-6

Pour en savoir davantage sur nos publications,
visitez notre site : www.edhomme.com
Autres sites à visiter : www.edjour.com
www.edtypo.com • www.edvlb.com
www.edhexagone.com • www.edutilis.com

09-08

Dépôt légal : 2008
Bibliothèque et Archives nationales du Québec

ISBN 978-2-7619-2557-0

Gouvernement du Québec – Programme de crédit d'impôt
pour l'édition de livres – Gestion SODEC – www.sodec.gouv.qc.ca

L'Éditeur bénéficie du soutien de la Société de développement des
entreprises culturelles du Québec pour son programme d'édition.

Le Conseil des Arts du Canada
The Canada Council for the Arts

Fonds du nouveau millénaire   Millennium Fund

Nous remercions le Conseil des Arts du Canada de l'aide accordée
à notre programme de publication.

Nous reconnaissons l'aide financière du gouvernement du Canada par
l'entremise du Programme d'aide au développement de l'industrie
de l'édition (PADIÉ) pour nos activités d'édition.

Claudette Taillefer

avec la collaboration de Natalie Ménard

Les recettes préférées de ma famille

LES ÉDITIONS DE L'HOMME

Une compagnie de Quebecor Media

BIENVENUE

Un mot de l'auteur

Toute petite, je rêvais d'une famille d'enfants et de petits-enfants autour de moi. Je rêvais aussi d'une maison à la campagne où ma famille pourrait se réunir et avoir son lieu d'appartenance.

La maison verte, baptisée ainsi par mes petits-enfants, m'a donné la chance de réaliser mes rêves.

J'aime imaginer ces hommes et ces femmes défricheurs qui ont traversé cette maison centenaire et lui ont donné l'âme qui est sienne.

Comme eux, j'ai l'amour de la Terre et de la nature dans sa plus simple expression. Je cuisine pour le Québec depuis plus de 50 ans et j'avais l'impression d'avoir vraiment tout donné.

Mais mes petits-enfants me réclamaient toujours mes recettes. Ils souhaitaient apprendre mes trucs, refaire les plats qu'ils aimaient tant manger à ma table. C'est donc pour cette raison que j'ai accepté de reprendre le tablier et de leur offrir mon héritage culinaire.

À mes petits-enfants et à vous tous qui m'avez démontré tant d'amour tout au long de ma vie, j'espère vous donner le goût de cuisiner et de partager avec les vôtres de bons moments autour d'une table simple mais remplie d'amour.

Entrées, soupes

ET

salades

Bocconcinis au prosciutto

8 bouchées

Préparation : 10 min

8 petits bocconcinis

4 tranches de prosciutto, coupées
    en deux sur la longueur

8 feuilles de sauge fraîche

4 brochettes de bois, coupées
    en deux

1. Enrouler une feuille de sauge et une demi-tranche de prosciutto autour d'un bocconcini et enfiler sur une brochette. Faire 8 brochettes de la même façon. Réserver au réfrigérateur.

2. Avant de servir, passer les brochettes quelques secondes dans une poêle antiadhésive chaude pour saisir le prosciutto.

Litchis au gorgonzola

Environ 20 bouchées

Préparation : 25 min

250 g (8 oz) de gorgonzola

1 boîte de 398 ml (14 oz) de litchis
    (environ 20)

20 amandes

20 feuilles de persil plat frais

1 botte de luzerne

1. Sortir le gorgonzola 30 min à l'avance.

2. Égoutter et éponger doucement les litchis. Défaire le gorgonzola en crème.

3. À l'aide d'une petite cuillère ou, mieux encore, d'une poche à douille, farcir les litchis avec le fromage.

4. Introduire une amande et une feuille de persil dans le fromage. Servir sur un lit de luzerne.

J'aime faire découvrir à mes invités des bouchées dont le goût est surprenant. Je les mets sur de jolis plateaux et je demande aux enfants de circuler parmi les convives pour leur offrir.

J'adore recevoir à l'extérieur.
Il n'est pas nécessaire de servir
des mets trop compliqués. La
nature et le chant des oiseaux
créent une ambiance unique qui
a le don infaillible de rendre
tout le monde heureux.

8 bouchées

Préparation : 10 min

8 pétoncles moyens, parés (enlever le muscle)

Huile d'olive

8 branches de romarin

Fleur de sel

8 bouchées

Préparation : 25 min

24 crevettes moyennes crues

60 ml (¼ tasse) de graines de sésame, grillées

60 ml (¼ tasse) de coriandre fraîche, hachée

30 ml (2 c. à soupe) de jus de lime, fraîchement pressé

10 ml (2 c. à thé) de sambal œlek

1 gousse d'ail, hachée

15 ml (1 c. à soupe) de miel

Sel et poivre

8 brochettes de bois

Pétoncles au romarin

1. Chauffer l'huile d'olive dans une poêle antiadhésive. Piquer une branche de romarin dans chaque pétoncle.

2. Cuire les pétoncles de chaque côté jusqu'à ce qu'ils soient fermes au toucher. Saupoudrer de fleur de sel et servir.

Crevettes piquantes

1. Déveiner et décortiquer les crevettes. Mélanger tous les autres ingrédients dans un bol et ajouter les crevettes. Couvrir et réfrigérer 3 h.

2. Enfiler les crevettes sur les brochettes et griller sur le barbecue à feu moyen ou les passer sous le gril, jusqu'à ce qu'elles changent de couleur.

Rillettes de porc

8 à 10 portions

Préparation : 30 min

Temps de cuisson : 3 h

4 tranches de bacon, en morceaux

1 oignon, haché

2 carottes, hachées

2 branches de céleri, hachées

2 jarrets de porc (haut), en morceaux

2 cuisses de canard ou 450 g (1 lb) de porc (épaule), en morceaux

2 feuilles de laurier

3 gousses d'ail, écrasées

15 ml (1 c. à soupe) de moutarde forte

10 ml (2 c. à thé) de piment de la Jamaïque

60 ml (¼ tasse) de brandy (facultatif)

Eau pour couvrir

15 ml (1 c. à soupe) de sel

Poivre

1. Faire dorer le bacon et les légumes dans une grande casserole.

2. Ajouter tous les autres ingrédients.

3. Couvrir et laisser mijoter environ 3 h à feu doux.

4. Verser dans une passoire et conserver le jus. Ne garder que la viande et jeter les légumes. Rectifier l'assaisonnement au besoin. Réserver au réfrigérateur.

5. Effilocher la viande ou la passer au robot de cuisine avec du jus de cuisson.

6. Remplir de 8 à 10 ramequins avec les rillettes. Couvrir de jus réchauffé et laisser prendre au réfrigérateur.

Cretons

8 à 10 portions

Préparation : 15 min

Temps de cuisson : 1 h

450 g (1 lb) de porc haché mi-maigre

250 ml (1 tasse) de mie de pain sec

1 gros oignon, haché finement

1 ml (¼ c. à thé) de clou de girofle moulu

5 ml (1 c. à thé) de piment de la Jamaïque

Sel et poivre

15 ml (1 c. à soupe) de concentré de poulet (style Bovril)

250 ml (1 tasse) de lait

1. Dans un grand bol, verser le lait sur le pain et laisser reposer 5 min.

2. Ajouter tous les autres ingrédients. Cuire au micro-ondes 15 min en remuant deux fois en cours de cuisson ou cuire sur la cuisinière 1 h à feu doux.

3. Verser dans des bols et laisser refroidir. Conserver au réfrigérateur.

Notes

Préparez les rillettes à l'avance et congelez-les dans de beaux ramequins. Faites-les décongeler au réfrigérateur.

Il est très important d'utiliser du porc mi-maigre pour que les cretons aient plus de goût et de consistance.

Chez nous, ces cretons sont de véritables objets de convoitise. Il n'est pas rare qu'au cours de certains déjeuners qui s'éternisent, on se retrouve une quinzaine autour du plat à critiquer l'épaisseur que chacun met sur sa rôtie...

Chez moi, les enfants ont Toujours eu leur place à Table avec les adultes. J'aime les voir se forcer à bien se Tenir, participer à la conversation, manger lentement, apprécier la nourriture et les bons moments passés en famille.

Hoummos

12 à 15 portions

Préparation : 10 min

1 boîte de 540 ml (19 oz) de pois chiches, rincés et égouttés

125 ml (½ tasse) de jus de citron, fraîchement pressé

80 ml (⅓ tasse) de tahini ou de beurre de sésame

5 ml (1 c. à thé) de cumin moulu

1 à 2 gousses d'ail, écrasées

Sel au goût

Huile d'olive et paprika

1. À l'aide du robot de cuisine, réduire tous les ingrédients en purée lisse, sauf l'huile et le paprika. Rectifier l'assaisonnement en sel au besoin.

2. Conserver au réfrigérateur ou congeler pour un usage ultérieur.

3. Avant de servir, ajoutez un filet d'huile d'olive et une pincée de paprika sur le dessus.

Panier de légumes

12 à 15 portions

Préparation : 25 min

Bouquets de brocoli

Bouquets de chou-fleur

Carottes avec leurs fanes

Poivrons de couleurs variées

Céleri avec le feuillage

Concombres

1 chou frisé ou chou de Savoie

2 petites aubergines entières

Oignons verts

Tomates cerises

Endives rouges et blanches

Champignons variés (café, portobellos, blancs, etc.)

1. Couvrir le fond d'un magnifique panier avec un linge à vaisselle décoratif. Remplir le panier de légumes frais et colorés comme si on venait de les cueillir directement du potager.

2. Coupez en bâtonnets ou en bouchées les brocolis, les choux-fleurs, les carottes, les poivrons, le céleri et les concombres.

3. Répartir les légumes en morceaux autour des légumes laissés entiers (chou, aubergines, oignons verts, tomates cerises, endives et champignons).

4. Servir les légumes avec un grand bol de Hoummos (voir ci-haut).

Nachos garnis de Carl

4 à 6 portions

Préparation : 20 min

1 avocat mûr

15 ml (1 c. à soupe) de jus de citron, fraîchement pressé

Quelques gouttes de tabasco

60 ml (¼ tasse) de crème sure

400 g (14 oz) de nachos à faible teneur en sel

250 ml (1 tasse) de fromage fondu (de type Cheez Whiz)

500 ml (2 tasses) de salsa du commerce

250 ml (1 tasse) de crème sure

125 ml (½ tasse) d'olives noires, dénoyautées et coupées en deux

125 ml (½ tasse) d'oignons verts, hachés

1. Écraser l'avocat en purée avec le jus de citron, le tabasco et 60 ml (¼ tasse) de crème sure. Réserver.

2. Préchauffer le four à *broil*.

3. Mettre les nachos dans un grand plat allant au four (pyrex). Napper de fromage fondu et mettre à *broil* 1 min.

4. Sortir du four et ajouter en couches successives la salsa, l'avocat, la crème sure, les olives et les oignons verts.

Astuce

Servez ce mets avec une bonne bière froide.

Mon fils Carl ne cuisine pas très souvent, mais il nous a concocté cette recette surprenante qyi a impressionné tout le monde. Il en est tellement fier qye depuis ce temps il considère avoir fait sa part pour l'évolution de la cuisine. Merci, mon Carlo!

Cette recette fait souvent partie de notre réveillon de Noël, ce merveilleux moment passé en famille au cours duquel le père Noël nous fait infailliblement l'honneur de sa présence. Nos petits-enfants sont grands maintenant, mais encore aujourd'hui ils considèrent qu'un Noël sans lui, ce n'est pas Noël.

Brie fondant praliné

8 à 10 portions

Préparation : 10 min

Temps de cuisson : 30 min

125 ml (½ tasse) de cassonade

60 ml (¼ tasse) de brandy

180 ml (¾ tasse) de noix de Grenoble, hachées

1 grand brie complet de 900 g (2 lb)

Notes

Vous pouvez le préparer la veille et le réfrigérer jusqu'à la cuisson.

Osez utiliser d'autres liqueurs ou d'autres garnitures.

1. Mélanger la cassonade, le brandy et les noix dans un bol et réserver.

2. Préchauffer le four à 180 °C (350 °F).

3. Dans un plat allant au four ou sur une plaque à pâtisserie, étendre des feuilles d'aluminium suffisamment longues pour pouvoir envelopper le brie hermétiquement.

4. Déposer le brie sur les feuilles d'aluminium, couvrir avec la préparation réservée et envelopper minutieusement.

5. Cuire environ 30 min, jusqu'à ce que le fromage soit fondant. Servir avec des morceaux de pain croûté.

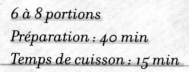

6 à 8 portions
Préparation : 40 min
Temps de cuisson : 15 min

Farce

225 g (½ lb) de porc haché

10 ml (2 c. à thé) de gingembre frais, haché finement

1 gousse d'ail, écrasée

5 ml (1 c. à thé) d'huile de sésame

15 ml (1 c. à soupe) de sauce soya

60 ml (¼ tasse) d'oignons verts, émincés finement

1 œuf

Raviolis

48 carrés de pâte à raviolis chinois (wonton)

1 œuf, battu

Oignons verts, émincés

Graines de sésame, grillées

Sauce aux arachides

250 ml (1 tasse) de beurre d'arachide

1 petite boîte de crème de noix de coco (utilisée pour faire le piña colada)

30 ml (2 c. à soupe) de sauce soya

30 ml (2 c. à soupe) de ketchup

5 ml (1 c. à thé) de sambal œelek

Le jus d'une lime

Raviolis à la sauce aux arachides

1. Dans un bol, mélanger tous les ingrédients qui composent la farce et réserver.

2. Disposer quelques carrés de pâte sur le comptoir. Badigeonner légèrement le contour avec l'œuf. Mettre environ 5 ml (1 c. à thé) de farce au centre de chaque carré et replier les côtés en emprisonnant parfaitement la farce. Répéter l'opération jusqu'à épuisement de la farce et des pâtes.

3. Cuire quelques raviolis à la fois en les plongeant 5 min dans l'eau bouillante. Égoutter et réserver.

4. Dans une casserole, mettre tous les ingrédients qui composent la sauce aux arachides, sauf le jus de lime. Laisser fondre à feu moyen sans faire bouillir. Ajouter le jus de lime et retirer du feu.

5. Mettre les raviolis dans une assiette et napper de sauce aux arachides. Garnir d'oignons verts et de graines de sésame.

Note

Le sambal œelek est un condiment d'origine indonésienne à base de piment. Il est plus ou moins épicé selon la marque choisie. Vous en trouverez dans la plupart des épiceries.

Mes enfants ont leur propre vie, mais mon mari et moi sommes très heureux de savoir que notre maison demeure le lieu de rassemblement de toute la famille. Ils savent qu'ils peuvent arriver à n'importe quel moment. Notre cœur et notre porte leur sont toujours grands ouverts.

Mon fils Pierre-André est un adepte de la pêche au saumon. Chaque année, il organise un inoubliable voyage de pêche avec son frère et son père. Il nous rapporte immanquablement de nombreuses histoires de pêche et parfois du poisson...

6 portions

Préparation : 30 min

200 g (7 oz) de saumon frais,
   en cubes fins

200 g (7 oz) de saumon fumé,
   en cubes fins

Concombre anglais

Marinade

15 ml (1 c. à soupe) de gingembre
   frais, haché finement

30 ml (2 c. à soupe) d'échalote grise,
   hachée finement

15 ml (1 c. à soupe) de ciboulette
   fraîche, ciselée

15 ml (1 c. à soupe) d'aneth frais,
   haché finement

15 ml (1 c. à soupe) d'estragon frais,
   haché finement

30 ml (2 c. à soupe) d'huile d'olive
   extravierge

45 ml (3 c. à soupe) de jus de citron,
   fraîchement pressé

Poivre frais moulu

Sauce

60 ml (¼ tasse) de crème 35 %

30 ml (2 c. à soupe) de vinaigre
   balsamique

30 ml (2 c. à soupe) de ciboulette
   fraîche, ciselée

Tartare aux deux saumons

1. Mélanger le saumon frais et le saumon fumé et ajouter tous les ingrédients de la marinade, sauf le jus de citron et le poivre. Réfrigérer jusqu'au moment de servir.

2. Environ 5 min avant de servir, ajouter le jus de citron et le poivre.

3. Dans un petit bol, mélanger les ingrédients qui composent la sauce.

4. Passer le concombre anglais à la mandoline ou à l'économe sur toute la longueur pour faire 6 tranches minces.

5. Enrouler les tranches de concombre sur elles-mêmes pour faire des cercles de 8 cm (3 po) de diamètre. Remplir les anneaux de saumon et décorer avec un peu des fines herbes restantes.

6. Étaler la sauce autour des anneaux de saumon et servir.

4 portions

Préparation : 25 min

200 g (7 oz) de fromage Saint-André

4 poires moyennes mûres, fermes
et non équeutées

Le jus d'un citron

250 ml (1 tasse) de noix de Grenoble,
grillées et hachées finement

60 ml (¼ tasse) de miel, liquéfié
au micro-ondes

Verdure au goût

4 feuilles de menthe fraîche

Note

*Ces poires conviennent
à merveille pour remplacer
le traditionnel plateau de
fromages. Servez-les avec
un bon porto.*

Poires farcies au Saint-André

1. Sortir le fromage du réfrigérateur 1 h à l'avance. Enlever la croûte du fromage.

2. Peler les poires délicatement en conservant la queue. Les rouler dans le jus de citron pour éviter qu'elles noircissent.

3. À l'aide d'une cuillère parisienne (à melon), évider les poires par le dessous. Enlever complètement le cœur et les fibres afin d'avoir suffisamment d'espace pour mettre au moins 30 ml (2 c. à soupe) de fromage dans chaque cavité.

4. À l'aide d'une cuillère ou avec les doigts, introduire le quart du fromage dans chacune des poires.

5. Étaler les noix dans une assiette. Tremper les poires dans le miel fondu, puis les rouler dans les noix.

6. Étendre un peu de verdure dans chacune des assiettes individuelles. Mettre une poire au centre. Accrocher une feuille de menthe près de la queue et servir.

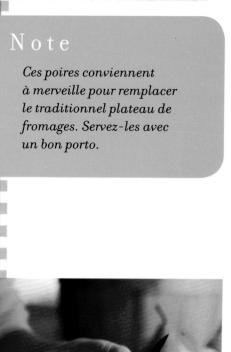

Nos repas s'éTemisent souvent. Nous en proEiTons pour nous raconter nos vies et connaiTre celle de nos petits-enfants ayi sont maintenant adolescents et ayi apprécient eux aussi ces longs repas-causeries.

Quand Marie-Josée et René arrivent à la Maison verte avec leurs enfants, ils ont toujours les bras chargés de nombreux petits plats, de salades et de fromages que nous dégusterons en famille. Nous aimons les Taquiner en leur disant qu'ils n'arrivent jamais les mains vides et qu'ils ont l'art de voyager léger.

Grand pain aux olives

8 à 10 portions

Préparation : 30 min

1 grosse miche de pain (type béret)

30 ml (2 c. à soupe) d'huile d'olive

1 gousse d'ail, écrasée

500 ml (2 tasses) d'olives vertes, dénoyautées

125 ml (½ tasse) de persil plat frais

1 boîte de 540 ml (19 oz) d'olives noires, dénoyautées

10 à 12 feuilles de basilic frais

60 ml (¼ tasse) de tomates séchées conservées dans l'huile, hachées

250 ml (1 tasse) de fromage de chèvre, émietté

10 tranches d'emmental

8 tomates italiennes, en tranches

10 tranches de jambon au goût

1. Ouvrir le dessus du pain et conserver la tranche enlevée. Retirer la mie tout en conservant la croûte intacte.

2. Mélanger l'huile d'olive et l'ail et badigeonner l'intérieur du pain.

3. À l'aide du robot de cuisine, hacher les olives vertes et le persil quelques secondes. Réserver.

4. Hacher les olives noires et le basilic de la même façon et réserver.

5. Mélanger les tomates séchées et le fromage de chèvre et réserver.

6. Étendre de façon successive le mélange d'olives vertes, l'emmental, les tomates italiennes, le fromage de chèvre, le jambon et les olives noires.

7. Remettre la tranche conservée sur le dessus du pain. Bien emballer de pellicule plastique et réfrigérer au moins 4 h avant de servir.

Notes

Vous pouvez préparer ce pain la veille.

Servez-en une pointe accompagnée d'une bonne salade lors d'une réception ou d'un pique-nique.

Gravlax

Saumon

Un grand filet de saumon entier de 1,5 kg (3 1/3 lb)

250 ml (1 tasse) d'aneth frais, haché

30 ml (2 c. à soupe) de gros sel

15 ml (1 c. à soupe) de sucre

15 ml (1 c. à soupe) de poivre noir, grossièrement moulu

30 ml (2 c. à soupe) de vodka

Sauce à la moutarde

6 jaunes d'œufs

15 ml (1 c. à soupe) d'huile d'olive

15 ml (1 c. à soupe) de sucre

7 ml (½ c. à soupe) de vinaigre

Sel et poivre

15 ml (1 c. à soupe) de moutarde à l'ancienne

30 ml (2 c. à soupe) d'aneth, haché

Vodka glacée

1 bouteille de vodka au goût

1 carton de lait de 2 litres, vide

Eau

Note

Mettez du feuillage ou des branches de sapin dans la glace pour la décoration.

Saumon

1. Dans un grand bol, mélanger l'aneth, le sel, le sucre, le poivre et la vodka.

2. Couper le filet de saumon en deux sur la longueur. Étendre la préparation entre les deux morceaux de saumon, mettre dans un grand plat et couvrir de pellicule plastique.

3. Mettre un poids sur le poisson (une brique par exemple) et laisser mariner de 3 à 4 jours dans le réfrigérateur. Retourner le saumon deux fois au cours de cette période.

4. Découper en tranches très fines et servir avec de la sauce à la moutarde, du pain de seigle et de la vodka glacée.

Sauce à la moutarde

1. À l'aide du batteur électrique, battre les jaunes d'œufs environ 7 min pour les pâlir.

2. Ajouter l'huile d'olive et continuer de battre. Ajouter tous les autres ingrédients. Bien mélanger et réserver au réfrigérateur.

Vodka glacée

1. Couper le dessus du carton de lait et mettre la bouteille de vodka fermée à l'intérieur. Remplir d'eau jusqu'au col de la bouteille de vodka et mettre au congélateur.

2. Au moment de servir, retirer le carton de lait. Une couche épaisse de glace recouvrira la bouteille. La vodka sera froide, sirupeuse et délicieuse… à la manière typiquement norvégienne.

3. Mettre la bouteille dans une assiette et servir avec le gravlax.

Il me semble que plus nous nous appliquons à préparer un bon repas avec des aliments savoureux et plus nous avons le goûT de prolonger le Temps à Table en nous amusant à refaire le monde.

Notes

N'hésitez pas à varier la quantité de gingembre et d'épices. Soyez audacieux, c'est si bon !

La soupe aux pois est meilleure réchauffée et elle se congèle très bien. Servez-la avec de la fleur de sel.

8 à 10 portions
Préparation : 30 min
Temps de cuisson : 3 h

500 ml (2 tasses) de pois secs jaunes

3 litres (12 tasses) d'eau ou d'eau
de cuisson d'un jambon

1 os de jambon avec viande ou
250 à 500 ml (1 à 2 tasses) de
jambon, cuit et coupé

1 boîte de 284 ml (10 oz) de bouillon
de bœuf

2 oignons, hachés

2 carottes, hachées

2 branches de céleri, hachées

2 feuilles de laurier

15 ml (1 c. à soupe) d'assaisonnement
pour volaille

Sel et poivre

30 ml (2 c. à soupe) de sirop d'érable
ou de jus de cuisson de jambon

30 ml (2 c. à soupe) de persil frais,
haché (facultatif)

---

4 à 6 portions
Préparation : 20 min
Temps de cuisson : 1 h

2 courges musquées ou poivrées

6 pommes Délicieuses jaunes, pelées
et coupées en gros morceaux

500 ml (2 tasses) de bouillon de poulet

1 morceau de gingembre frais de
2,5 cm (1 po), haché grossièrement

15 ml (1 c. à soupe) de cari

15 ml (1 c. à soupe) de curcuma

Sel

2 c. à soupe de crème sure

Soupe aux pois

1. Rincer les pois secs à l'eau froide et égoutter. Mettre les pois secs et l'eau dans une grande casserole. Porter à ébullition. Baisser le feu et laisser mijoter à feu doux 40 min sans couvrir.

2. Ajouter l'os de jambon, le bouillon, les légumes, les feuilles de laurier, l'assaisonnement pour volaille, le sel, le poivre et le sirop d'érable. Laisser mijoter à feu doux environ 2 h 30, jusqu'à ce que les pois soient tendres.

3. Retirer l'os. Couper le jambon en morceaux et remettre dans la soupe.

4. Garnir chaque bol avec du persil.

Potage à la courge, aux pommes et au gingembre

1. Préchauffer le four à 180 °C (350 °F).

2. Couper les courges en deux et enlever les graines. Mettre les moitiés sur une plaque à pâtisserie et cuire au four environ 45 min, jusqu'à ce qu'elles soient tendres. Laisser refroidir un peu avant de prélever la pulpe. Jeter les écorces.

3. Cuire les pommes dans le bouillon 10 min à feu moyen. Ajouter le gingembre, le cari, le curcuma et la courge.

4. Laisser mijoter 15 min. Passer au mélangeur et saler au goût. Servir chaque bol avec 5 ml (1 c. à thé) de crème sure.

Soupe minestrone

8 portions

Préparation : 30 min

Temps de cuisson : 1 h

2 oignons, hachés

4 tranches de bacon, hachées

2 carottes, émincées

2 branches de céleri, émincées

2 gousses d'ail, hachées

10 ml (2 c. à thé) de romarin séché

1 feuille de laurier

5 ml (1 c. à thé) de sauge séchée

Sel et poivre

1 boîte de 796 ml (28 oz) de tomates italiennes broyées

750 ml (3 tasses) de bouillon de bœuf

1 litre (4 tasses) d'eau ou plus

60 ml (¼ tasse) de pâtes courtes (coquilles) ou de riz cru

250 ml (1 tasse) de chou, haché

250 ml (1 tasse) de haricots verts, coupés

1 boîte de 540 ml (19 oz) de haricots blancs

60 ml (¼ tasse) de persil frais, haché

Parmesan, fraîchement râpé

1. Dans une casserole, faire fondre les oignons avec le bacon. Ajouter les carottes, le céleri, l'ail, le romarin, le laurier, la sauge, le sel et le poivre. Cuire en remuant.

2. Ajouter les tomates, le bouillon et l'eau. Porter à ébullition.

3. Ajouter les pâtes, le chou, les haricots verts et les haricots blancs. Porter à ébullition et rectifier l'assaisonnement au besoin. Cuire 45 min à feu doux.

4. Ajouter le persil et le parmesan au moment de servir.

Notes

Le minestrone fait une excellente soupe repas. Vous pouvez évidemment mettre les légumes de votre choix : pommes de terre, courgettes, bettes à carde, etc.

J'utilise souvent des herbes salées dans mes soupes.

Si vous préférez les haricots secs aux haricots en conserve, faites-en cuire à l'avance, congelez-les et ajoutez-les à vos soupes le moment venu. Un choix santé économique !

Ma belle-fille Natalie a un Talent inné pour la cuisine. Elle a été l'une de mes précieuses collaboraTrices pour la création de ce livre. Elle m'impressionne aussi en Tant qu'infirmière œuvrant dans le domaine de la santé mentale. Une vériTable vocation.

Pour moi, la soupe est le symbole culinaire par excellence du réconfort et de la cordialité. C'est mon repas du midi préféré que j'aime manger simplement avec un bout de pain et du beurre.
Un vrai bonheur!

Soupe jardinière à l'orge

4 à 6 portions
Préparation : 25 min
Temps de cuisson : 1 h

Huile d'olive

1 oignon espagnol

1 gousse d'ail

1 branche de céleri

2 carottes

1 panais

1 poireau

½ navet

2 litres (8 tasses) d'eau froide

1 branche de thym

1 branche de romarin

1 feuille de laurier

30 ml (2 c. à soupe) de tamari

45 ml (3 c. à soupe) de bouillon
de poulet concentré ou 30 ml
(2 c. à soupe) de pâte miso
(à ajouter en fin de cuisson)

180 ml (¾ tasse) d'orge

Sel et poivre

650 g (1 lb 7 oz) de jambon fumé,
cuit et coupé en cubes

1. Couper les légumes en morceaux au goût.

2. Dans une casserole, faire revenir les légumes dans l'huile d'olive pendant 5 min. Ajouter l'eau, les fines herbes, le tamari, le bouillon, l'orge, le sel et le poivre.

3. Cuire 45 min à feu moyen. Ajouter le jambon et cuire 15 min de plus.

Note

Si vous utilisez de la pâte de miso, ne l'ajoutez qu'à la dernière minute. Il est important de ne pas la laisser bouillir afin qu'elle conserve toute sa valeur nutritive.

4 portions

Préparation : 10 min

Temps de cuisson : 20 min

1 c. à soupe d'huile d'olive

1 bulbe de fenouil, haché

1 oignon, haché

500 ml (2 tasses) de bouillon de
poulet

8 à 10 tasses de feuilles d'épinards
frais

5 ml (1 c. à thé) de graines de fenouil

Une pincée de muscade moulue

125 ml (½ tasse) de crème 15 %

Sel et poivre

Crème d'épinard et de fenouil

1. Chauffer l'huile d'olive dans une casserole. Faire fondre le fenouil et les oignons 5 min.

2. Ajouter le bouillon de poulet, les épinards, les graines de fenouil et la muscade. Couvrir et laisser mijoter environ 10 min, jusqu'à ce que les épinards soient tombés.

3. Passer au mélangeur jusqu'à consistance lisse et onctueuse. Verser dans la casserole et ajouter la crème. Saler, poivrer et réchauffer avant de servir.

4 portions

Préparation : 20 min

Temps de cuisson : 35 min

15 ml (1 c. à soupe) d'huile d'olive

1 oignon, haché

1 litre (4 tasses) de carottes,
en tranches

500 ml (2 tasses) de jus d'orange,
fraîchement pressé

500 ml (2 tasses) de bouillon
de poulet

1 morceau de gingembre frais
de 2,5 cm (1 po)

Sel et poivre

Crème de carotte au parfum d'orange

1. Chauffer l'huile d'olive dans une casserole. Faire fondre les oignons et les carottes pendant 5 min.

2. Ajouter le jus d'orange et le bouillon et laisser mijoter 20 min.

3. Ajouter le gingembre et laisser mijoter 10 min de plus.

4. Passer au mélangeur et assaisonner au goût.

5. Ajouter du bouillon au besoin si l'on veut obtenir une crème de carotte moins épaisse.

Lorsque je visite une amie, j'aime bien lui apporter quelques gâteries comme cadeau : un pot de confiture, un petit gâteau, un potage, des œufs de caille marinés. C'est ma façon de lui témoigner mon affection.

Je pense que le fait de vivre à la ferme permet à mon mari et moi de rester jeunes. Chaque matin, nous nous levons avec le chant du coq, Claude s'occupe des animaux et moi des fleurs et du potager. Il y a beaucoup à faire et nous demeurons ainsi actifs et en bonne santé.

Crème de champignon

4 portions
Préparation : 20 min
Temps de cuisson : 30 min

Béchamel

30 ml (2 c. à soupe) de beurre

30 ml (2 c. à soupe) de farine

500 ml (2 tasses) de bouillon
de poulet

Crème de champignon

30 ml (2 c. à soupe) de beurre

1 oignon, haché

450 g (1 lb) de champignons, hachés

10 ml (2 c. à thé) de thym frais

Sel et poivre

250 ml (1 tasse) de crème 15 %

Note

Servez cette soupe avec quelques champignons sautés.

Béchamel

1. Dans une casserole, faire fondre le beurre à feu moyen. Ajouter la farine tout en remuant à l'aide d'un fouet. Incorporer le bouillon.

2. Cuire jusqu'à épaississement et retirer du feu.

Crème de champignon

1. Dans une poêle, faire revenir les oignons et les champignons dans le beurre jusqu'à ce qu'ils soient tendres. Retirer du feu. Mélanger avec la béchamel. Ajouter le thym, le sel et le poivre.

2. Passer la soupe au mélangeur jusqu'à consistance lisse et onctueuse.

3. Verser dans une casserole et ajouter la crème. Rectifier l'assaisonnement, réchauffer et servir.

Salade de carottes

4 à 6 portions
Préparation : 20 min

8 carottes

60 ml (¼ tasse) de jus de citron, fraîchement pressé

60 ml (¼ tasse) de feuilles de menthe, hachées

2 oignons verts, hachés

125 ml (½ tasse) de raisins secs dorés

80 ml (⅓ tasse) de mayonnaise

15 ml (1 c. à soupe) de moutarde de Meaux

Sel et poivre

1. Râper les carottes à l'aide du robot de cuisine.

2. Mélanger les carottes dans un grand bol avec tous les autres ingrédients. Remuer, couvrir et réfrigérer au moins 3 h avant de servir.

Salade de pommes de terre grelots

4 à 6 portions
Préparation : 20 min

20 à 30 pommes de terre grelots (selon la grosseur), coupées en deux

125 ml (½ tasse) de beurre

2 gousses d'ail, écrasées

30 ml (2 c. à soupe) de persil frais, haché

30 ml (2 c. à soupe) d'estragon frais, haché

30 ml (2 c. à soupe) de ciboulette fraîche, hachée

Sel et poivre

1. Cuire les pommes de terre grelots environ 15 min dans l'eau bouillante salée.

2. Dans un bol en verre, cuire le beurre et l'ail au micro-ondes environ 2 min à allure maximale, jusqu'à ce que le beurre soit fondu et l'ail ramolli. Ajouter les fines herbes.

3. Mettre les pommes de terre dans un grand bol. Napper de beurre assaisonné et bien mélanger. Saler et poivrer au goût.

Note

Augmentez la quantité de fines herbes à votre goût.

Très Tôt au printemps jusqu'à Très Tard
en automne, nous aimons manger dehors.
L'ambiance est toujours à la détente et
au bien-être. J'aime avoir des recettes
froides qui facilitent ces bons moments.

J'ai tenté d'inculquer à mes petits-enfants l'importance d'une table bien mise et d'une ambiance agréable et détendue. Depuis ce temps, ils réclament à leurs parents des serviettes de table, de beaux napperons, des soucoupes pour les tasses et de la musique de fond.

4 à 6 portions

Préparation : 20 min

1 gousse d'ail, écrasée

1 jaune d'œuf

1 filet d'anchois, haché finement

5 ml (1 c. à thé) de moutarde forte

125 ml (½ tasse) d'huile d'olive

30 ml (2 c. à soupe) de vinaigre
   de vin rouge

60 ml (¼ tasse) de parmesan,
   fraîchement râpé

2 laitues romaines

30 ml (2 c. à soupe) de câpres

Parmesan râpé au goût

250 ml (1 tasse) de croûtons

6 portions

Préparation : 10 min

20 tomates cerises, coupées en deux

½ concombre anglais, en petits cubes

250 ml (1 tasse) de fromage feta, en
   cubes

1 boîte de 540 ml (19 oz) de haricots
   noirs ou autres

3 oignons verts, hachés finement

60 ml (¼ tasse) de basilic frais, haché

15 ml (1 c. à soupe) d'origan frais,
   haché

125 ml (½ tasse) d'olives noires
   Kalamata, dénoyautées

2 gousses d'ail, hachées

Le jus d'un citron

45 ml (3 c. à soupe) d'huile d'olive

Poivre

Salade César

1. Dans un grand bol, à l'aide d'un fouet, mélanger l'ail, le jaune d'œuf, l'anchois et la moutarde.

2. Ajouter l'huile d'olive très lentement en un mince filet en fouettant sans cesse. C'est le secret pour monter la mayonnaise.

3. Une fois la mayonnaise montée, ajouter le vinaigre et le parmesan. Remuer, goûter et ajouter plus de vinaigre au besoin.

4. Déchiqueter la laitue dans un grand bol. Ajouter les câpres, du parmesan au goût, des croûtons et la vinaigrette. Bien remuer et servir.

Astuce

Pour faire de bons croûtons, couvrez 2 tranches épaisses de pain croûté avec 30 ml (2 c. à soupe) de beurre fondu, 1 gousse d'ail écrasée et 15 ml (1 c. à soupe) de persil frais, haché. Passer 1 min sous le gril, retourner le pain et griller 1 min de plus. Tailler en cubes.

Salade grecque aux haricots

1. Mélanger tous les ingrédients dans un grand bol et réfrigérer au moins 3 h avant de servir.

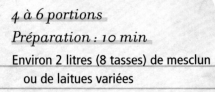

4 à 6 portions

Préparation : 10 min

Environ 2 litres (8 tasses) de mesclun ou de laitues variées

125 ml (½ tasse) de canneberges séchées

60 g (2 oz) de chocolat noir, haché

Vinaigrette

60 ml (¼ tasse) d'huile de pépins de raisin

60 ml (¼ tasse) de sirop d'érable

60 ml (¼ tasse) de vinaigre balsamique

60 ml (¼ tasse) de jus de canneberge

30 ml (2 c. à soupe) de sauce soya

---

6 portions

Préparation : 15 min

3 poires Bosc, non pelées

3 endives (rouges et blanches)

125 ml (½ tasse) de noix de Grenoble, hachées grossièrement

6 oz (180 g) de brie, en tranches

60 ml (¼ tasse) d'estragon frais, ciselé

Vinaigrette

6 c. à soupe d'huile d'olive

4 c. à soupe de vinaigre d'estragon

Sel et poivre

Mesclun et vinaigrette aux canneberges, à l'érable et au chocolat

Vinaigrette

1. Mélanger ensemble tous les ingrédients qui composent la vinaigrette.

Mesclun

1. Mettre le mesclun dans un grand bol et mélanger avec la vinaigrette. Ajouter les canneberges et le chocolat. Remuer et servir immédiatement.

Salade d'endives, de poires, de brie et de noix

1. Émincer les poires dans un grand bol.

2. Séparer les feuilles d'endive et couper les plus grosses en deux. Mélanger avec les poires.

3. Griller les noix 30 sec à *broil.*

4. Dresser le tout dans une grande assiette. Couvrir avec le brie et les noix de Grenoble.

5. Mélanger tous les ingrédients qui composent la vinaigrette et verser sur la salade. Garnir d'estragon et servir immédiatement.

Notes

Pour une présentation originale, servez cette salade dans une feuille de radicchio ou une coupe à margarita.

La vinaigrette se conserve une semaine au réfrigérateur.

Natalie et Carl reçoivent comme des pros et je leur accorde quatre étoiles pour les mets qu'ils préparent et l'ambiance qu'ils savent créer à table.

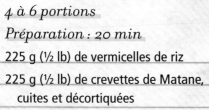

4 à 6 portions

Préparation : 20 min

225 g (½ lb) de vermicelles de riz

225 g (½ lb) de crevettes de Matane, cuites et décortiquées

1 mangue mûre, en dés

60 ml (¼ tasse) de mirin

60 ml (¼ tasse) de vinaigre de riz

60 ml (¼ tasse) d'eau

60 ml (¼ tasse) de menthe fraîche, hachée

30 ml (2 c. à soupe) de coriandre fraîche, hachée

½ oignon rouge, haché finement

Graines de sésame noires

Note

Vous pouvez aussi servir cette salade dans des petits bols japonais individuels. N'oubliez pas les graines de sésame noires, si délicieuses et nourrissantes.

4 portions

Préparation : 15 min

1 bulbe de fenouil, émincé

2 oranges ou 2 pommes rouges Délicieuses, émincées

45 ml (3 c. à soupe) d'huile d'olive

15 ml (1 c. à soupe) de jus de citron, fraîchement pressé

30 ml (2 c. à soupe) d'estragon frais, ciselé

Sel et poivre

Copeaux de parmesan

Salade de vermicelles de riz aux mangues et aux crevettes

1. Porter une casserole d'eau à ébullition et cuire les vermicelles de riz quelques minutes en suivant les indications inscrites sur l'emballage. Égoutter et réserver.

2. Dans un bol, mélanger tous les autres ingrédients, sauf les graines de sésame, et réfrigérer au moins 3 h avant de servir.

3. Étendre les vermicelles de riz dans un grand plat et couvrir avec la préparation aux crevettes. Saupoudrer de graines de sésame noires au goût.

Salade de fenouil et d'oranges

1. Mélanger le fenouil et les oranges dans un grand bol.

2. Mélanger l'huile d'olive et le jus de citron jusqu'à émulsion. Ajouter l'estragon, le sel et le poivre. Verser sur la salade et bien mélanger.

3. Servir la salade dans un grand plat et garnir de copeaux de parmesan.

Viande

ET

volaille

Bouilli de légumes de mon amie Monique

6 à 8 portions
Préparation : 45 min
Temps de cuisson : 2 h

1 flanc de porc, coupé en tranches de 1,25 cm (½ po) d'épaisseur

6 côtes de dos de bœuf

6 côtes levées de porc

30 ml (2 c. à soupe) d'huile végétale

15 ml (1 c. à soupe) de beurre

250 ml (1 tasse) d'eau froide ou de bouillon

Sel et poivre

Bouquet garni (1 branche de thym, 1 feuille de laurier, persil, poireau)

1 navet, en quartiers

1 chou, en quartiers

2 oignons

12 à 15 petites carottes entières

6 paquets de 12 haricots verts, ficelés

6 paquets de 12 haricots jaunes, ficelés

20 pommes de terre grelots

Ciboulette ou persil, haché

Fleur de sel ou gros sel au goût

1. Dans une grande casserole à fond épais, chauffer l'huile et le beurre.

2. Faire dorer les tranches de flanc de porc à feu vif et réserver. Faire dorer ensuite les côtes de dos de bœuf et les côtes levées de porc et réserver.

3. Ajouter l'eau froide pour déglacer.

4. Porter à ébullition. Ajouter le sel, le poivre et le bouquet garni.

5. Remettre la viande dans la casserole et couvrir d'eau à égalité.

6. Couvrir et laisser mijoter 1 h 30 à feu doux. Ajouter le navet, le chou et les oignons. Couvrir et cuire 10 min.

7. Ajouter les carottes, les haricots et les pommes de terre.

8. Couvrir et laisser mijoter sans remuer jusqu'à ce que les légumes soient tendres.

9. Arroser les légumes avec le bouillon en cours de cuisson. Rectifier l'assaisonnement du bouillon et ajouter de l'eau au besoin.

10. Servir la viande dans un plat et les légumes dans un autre. Garnir de ciboulette ou de persil et ajouter de la fleur de sel ou du gros sel au goût.

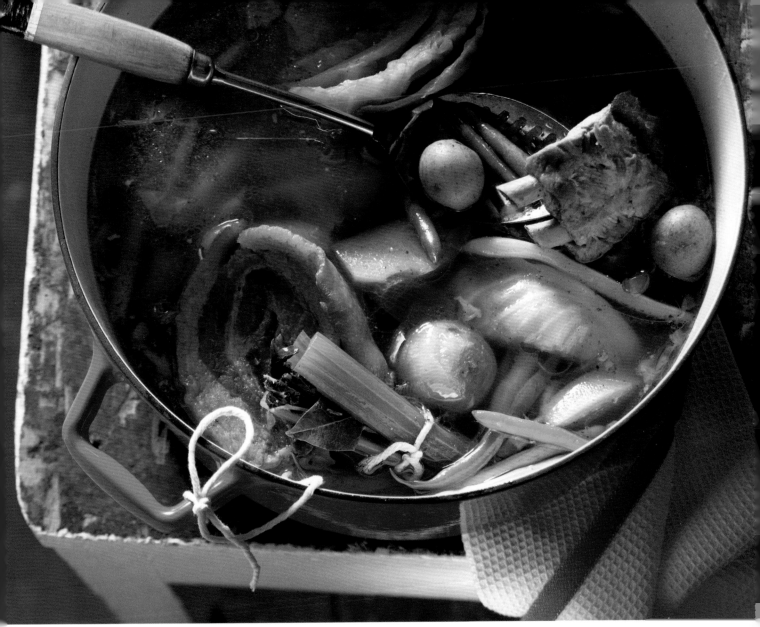

Moniaye est ma meilleure amie depuis plus de 50 ans. Nous avons vécu toutes nos joies et nos peines ensemble. Elle est mon exemple de droiture, de féminité et de bonté. Je suis comblée qu'elle fasse partie de notre vie et qu'elle accepte de partager généreusement avec nous cette belle recette.

Je suis Toujours éTonnée de constaTer aye les receTTes les plus simples sonT parfois celles ayi laissenT les meilleurs souvenirs. Quand je rentrais Très Tard du Travail, la fricassée éTaiT souvent mon souper dépannage. Croyez-le ou non, c'est encore ce plaT aye mes enfanTs me réclamenT le plus lorsay'ils viennenT me visiTer.

Fricassée de grand-maman

4 à 6 portions
Préparation : 30 min
Temps de cuisson : 1 h

30 ml (2 c. à soupe) de beurre

15 ml (1 c. à soupe) d'huile

1 oignon, haché

2 branches de céleri, hachées

1 poivron vert ou jaune, en cubes

1 poivron rouge, en cubes

1 litre (4 tasses) de restes de rôti de porc ou de rôti de bœuf, en cubes

15 ml (1 c. à soupe) d'herbes salées

1 boîte de 284 ml (10 oz) de consommé de bœuf

1 boîte d'eau

4 ou 5 pommes de terre, non pelées et coupées en cubes

Sel et poivre

1. Dans une grande poêle, chauffer le beurre et l'huile. À feu moyen, faire tomber les oignons avec le céleri et les poivrons.

2. Ajouter la viande et les herbes salées. Laisser colorer légèrement en remuant de 2 à 3 min.

3. Ajouter le consommé, l'eau, les pommes de terre, le sel et le poivre. Porter à ébullition. Couvrir et laisser mijoter à feu doux de 30 à 40 min.

Note

N'oubliez pas le ketchup aux fruits…

Rôti de bœuf

4 à 6 portions

Préparation : 30 min

Temps de cuisson : environ 1 h 30

1 rôti de bœuf de côtes désossées de 1,6 kg (3 ½ lb)

125 ml (½ tasse) de beurre ou de margarine

30 ml (2 c. à soupe) de moutarde sèche

30 ml (2 c. à soupe) d'herbes de Provence

5 ml (1 c. à thé) de sucre

Sel et poivre

1 oignon, émincé

Sauce

250 ml (1 tasse) de thé fort

250 ml (1 tasse) de consommé de bœuf

Notes

Le raifort est un accompagnement idéal pour le rosbif.

Si vous avez des os et des restes de viande, utilisez-les pour faire un bouillon de bœuf.

Os du rôti de bœuf, parures ou jarrets

1 oignon, haché

1 feuille de laurier

Feuilles de céleri

2 carottes

Sel et poivre

Eau

1. Préchauffer le four à 150 °C (300 °F).

2. Mettre la viande sur une grille placée dans une rôtissoire.

3. Mélanger le beurre, la moutarde, les fines herbes, le sucre, le sel et le poivre. Badigeonner le rôti et ajouter les oignons.

4. Cuire au four pendant 30 min. Insérer ensuite le thermomètre à viande et calculer 20 min de plus par lb (450 g) ou attendre que la température atteigne 60 °C (140 °F) si l'on préfère une cuisson saignante.

5. Sortir le rôti du four et réserver.

6. Pour faire la sauce, verser le thé dans la rôtissoire et déglacer en raclant bien le fond.

7. Ajouter le consommé et environ 125 ml (½ tasse) d'eau au goût. Rectifier l'assaisonnement et passer la sauce au tamis au besoin.

8. Découper le rôti en fines tranches et servir avec des carottes, des haricots verts et de la purée de pommes de terre.

Purée de pommes de terre

1. Cuire des pommes de terre avec du sel et 1 feuille de laurier. Égoutter et réduire en purée avec du beurre et de la crème 15 %.

Bouillon de bœuf

1. Mettre tous les ingrédients dans une casserole, couvrir et laisser mijoter 1 h 30. Filtrer et réserver au froid.

J'ai beaucoup travaillé avec Juliette Huot. Elle disait toujours que « les meilleures recettes sont celles que l'on fait avec un chapeau sur la tête ». Ne pas trop réfléchir, cuisiner avec amour en usant de son instinct et en respectant quelques règles de base, voilà le secret !

Mon jambon suscite Toujours un grand débaT : qui hériTTera de la première Tranche si savoureuse? Son goûT Eumé ET sucré EaiT monTer en moi de merveilleux souvenirs de la cabane à sucre.

8 à 10 portions
Préparation : 30 min
Temps de cuisson : 2 h 30

1 jambon non désossé de 3,6 kg
   (8 lb) environ

1 oignon, en quartiers

5 ou 6 clous de girofle entiers

Feuilles de céleri

2 carottes, en rondelles

15 ml (1 c. à soupe) de moutarde
   sèche

1 feuille de laurier

Sauce

125 ml (½ tasse) de cassonade

125 ml (½ tasse) de sirop d'érable

125 ml (½ tasse) de jus d'ananas

Jambon glacé à l'érable

1. Mettre le jambon dans une casserole avec tous les ingrédients. Couvrir d'eau froide et porter à ébullition.

2. Réduire la chaleur et laisser mijoter 30 min.

3. Laisser refroidir le jambon dans le bouillon.

4. Retirer le jambon de la casserole et conserver le bouillon.

5. Tracer des losanges dans le gras. Piquer des clous de girofle entiers au centre des losanges.

Sauce

1. Mélanger tous les ingrédients qui composent la sauce et badigeonner le jambon.

2. Cuire au four à 160 °C (325 °F) pendant 20 min par lb (450 g) en arrosant de temps à autre.

Notes

On peut remplacer la sauce par du simple sirop d'érable.

Le jus de cuisson du jambon est un ingrédient de choix pour la recette de Soupe aux pois (page 35).

Ce jambon se prête à de nombreux usages : quiches, soufflés, sandwiches, plats à base de viande hachée, plats pour le petit-déjeuner, omelettes, riz, jambon à l'ananas, soupe aux pois, mousse au jambon, buffets froids, etc.

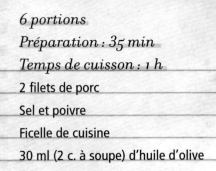

6 portions
Préparation : 35 min
Temps de cuisson : 1 h

2 filets de porc

Sel et poivre

Ficelle de cuisine

30 ml (2 c. à soupe) d'huile d'olive

Farce au gorgonzola

200 g (7 oz) de gorgonzola, émietté

125 ml (½ tasse) de canneberges
    séchées

125 ml (½ tasse) de noix de Grenoble,
    hachées finement

2 pommes Délicieuses rouges, non
    pelées et râpées

5 ml (1 c. à thé) de thym frais

5 ml (1 c. à thé) de sarriette fraîche

5 ml (1 c. à thé) de marjolaine fraîche

2 gousses d'ail, hachées finement

30 ml (2 c. à soupe) d'huile d'olive

Sauce au porto

300 g (10 oz) de canneberges
    congelées

1 échalote, émincée

60 ml (¼ tasse) d'eau

60 ml (¼ tasse) de miel

30 ml (2 c. à soupe) de vinaigre
    balsamique

250 ml (1 tasse) de fond de veau
    ou de bouillon de poulet

125 ml (½ tasse) de porto blanc

Filets de porc farcis au gorgonzola et sauce au porto

Farce au gorgonzola

1. Dans un bol, bien mélanger tous les ingrédients qui composent la farce. Réserver.

Filets de porc

1. Couper les filets de porc sur la longueur (en portefeuille).

2. Étendre les filets et les aplatir à l'aide du rouleau à pâtisserie pour former un grand rectangle. Saler et poivrer.

3. Étendre la moitié de la farce sur chacun des filets.

4. Rouler les filets et les attacher avec de la ficelle de cuisine afin de bien conserver la farce à l'intérieur. Réserver au réfrigérateur jusqu'au moment de la cuisson.

5. Préchauffer le four à 180 °C (350 °F).

6. Dans une grande poêle, chauffer l'huile et faire colorer les filets de porc de chaque côté.

7. Déposer les filets dans une lèchefrite et cuire au four environ 8 min, jusqu'à ce que le thermomètre à viande indique 71 °C (160 °F).

8. Sortir la viande du four et couvrir avec du papier d'aluminium. Laisser reposer 5 min.

9. Retirer la ficelle et découper les filets en tranches de 2,5 cm (1 po) environ.

10. Verser un peu de sauce au porto dans le fond des assiettes et mettre les tranches de porc par-dessus.

11. Servir avec de la purée de topinambours et un Millefeuille de légumes grillés (page 138).

Sauce au porto

1. Dans une petite casserole, mettre les canneberges, les échalotes, l'eau et le miel. Cuire 5 min à feu moyen, jusqu'à ce que les canneberges éclatent.

2. Incorporer le vinaigre balsamique, le fond de veau et le porto. Laisser réduire 30 min à feu doux.

Note

Cette recette peut être préparée à l'avance jusqu'à l'étape 4. Vous pouvez faire la sauce la veille et la réfrigérer jusqu'au moment de servir.

Voici une recette de mon père. Il laissait toujours coller un peu sa sauce pour faire une belle graisse de rôti goûteuse. Le dilemme consistait à choisir entre les patates brunes ou la graisse de rôti pour le déjeuner du lendemain.

8 à 10 portions
Préparation : 30 min
Temps de cuisson : 3 h

1,8 à 2,25 kg (4 à 5 lb) de longe
de porc désossée

2 gousses d'ail, en gros morceaux

15 ml (1 c. à soupe) de beurre

15 ml (1 c. à soupe) d'huile

Os de porc, couenne ou patte

Sel et poivre

15 ml (1 c. à soupe) de moutarde
forte

10 ml (2 c. à thé) de sarriette

250 ml (1 tasse) d'eau froide

8 à 10 pommes de terre, pelées et
coupées en morceaux

Astuce

*La graisse de rôti est brune,
belle et gélatineuse grâce aux os
qui cuisent avec le rôti.
Demandez à votre boucher de
vous donner les os si vous
achetez un rôti désossé. Vous
pouvez aussi les remplacer par
un morceau de patte de porc.
Faites bien dorer le rôti si vous
voulez obtenir une graisse de
rôti bien brune.*

Rôti de porc et patates brunes

1. Piquer le porc avec les morceaux d'ail.

2. Chauffer le beurre et l'huile à feu vif dans une casserole à fond épais et faire dorer la longe de porc de tous les côtés.

3. Saler et poivrer. Couvrir de moutarde forte et de sarriette, puis ajouter les os de porc.

4. Verser l'eau froide. Couvrir, baisser le feu et laisser mijoter 10 min.

5. Préchauffer le four à 180 °C (350 °F). Cuire le rôti environ 30 min par lb (450 g).

6. À mi-cuisson, ajouter les pommes de terre dans la sauce. Arroser souvent la viande. Bien enrober les pommes de terre de sauce pour qu'elles colorent légèrement.

7. Retirer les os avant de servir.

Graisse de rôti

1. Cuire le rôti de porc de la même façon que le Rôti de porc et patates brunes (voir ci-haut).

2. À la fin de la cuisson, retirer le porc et les os de la casserole, mais y laisser la sauce.

3. Porter à forte ébullition en raclant le fond de la casserole pour déglacer. Ajouter 250 ml (1 tasse) d'eau froide et porter à forte ébullition environ 3 min.

4. Verser dans un tamis posé au-dessus d'un bol transparent. Laisser prendre sans toucher au bol. Laisser refroidir complètement.

Osso buco

4 portions

Préparation : 35 min

Temps de cuisson : 2 h 15

4 jarrets de veau de 5 cm (2 po) d'épaisseur

125 ml (½ tasse) de farine

Le zeste d'un citron

Sel et poivre

45 ml (3 c. à soupe) d'huile d'olive

1 oignon, haché

1 gousse d'ail, écrasée

1 grosse carotte, en petits dés

180 ml (¾ tasse) de vin blanc

180 ml (¾ tasse) de bouillon de poulet

1 feuille de laurier

1 boîte de 796 ml (28 oz) de tomates italiennes en dés

15 ml (1 c. à soupe) de pâte de tomates

30 ml (2 c. à soupe) de persil frais, haché

30 ml (2 c. à soupe) de basilic frais, haché

30 ml (2 c. à soupe) de zeste de citron

Rubans de légumes

3 grosses carottes, pelées

3 courgettes

Sel et poivre

Osso buco

1. Préchauffer le four à 190 °C (375 °F).

2. Dans un sac de plastique à fermeture hermétique, mélanger la farine, le zeste de citron, le sel et le poivre.

3. Ajouter les jarrets de veau, un à la fois, et secouer pour bien enrober de farine.

4. Chauffer l'huile dans une casserole antiadhésive et faire dorer les jarrets de tous les côtés. Réserver.

5. Dans la même casserole, ajouter les oignons, l'ail et les carottes. Chauffer 5 min.

6. Déglacer avec le vin blanc et le bouillon de poulet.

7. Ajouter la feuille de laurier, les tomates et la pâte de tomates. Mélanger.

8. Ajouter les jarrets de veau et couvrir. Cuire au four environ 2 h, jusqu'à ce que la viande se détache facilement de l'os.

9. Sortir la casserole du four, puis ajouter le persil, le basilic et le zeste de citron.

10. Servir avec des rubans de légumes et un peu de gremolata.

Rubans de légumes

1. À l'aide d'un éplucheur ou d'une mandoline, prélever de minces rubans de carotte et de courgette sur la longueur.

2. Faire bouillir de l'eau dans une grande casserole. Ajouter un peu de sel.

3. Blanchir les carottes 3 min et les courgettes 2 min. Couvrir et réserver au chaud.

4. Au moment de servir, saler, poivrer et remuer les légumes. Servir avec l'osso buco.

Gremolata

1. Mélanger le zeste d'un citron, le zeste d'une orange,
   60 ml (¼ tasse) de persil frais haché et 2 gousses d'ail
   hachées finement dans un petit bol. Ce mélange sert
   traditionnellement de garniture à l'osso buco et se
   conserve au réfrigérateur dans un bol bien couvert.

Notes

On peut préparer ce plat à l'avance et il est facile de le congeler en portions. Ce ragoût est excellent une fois réchauffé. Servez-le avec des Betteraves marinées (page 208).

Il est important de faire dorer les pattes de porc afin que la couleur du ragoût soit impeccable. Utilisez de la farine grillée maison.

C'est infaillible, à la demande générale je dois absolument faire un ragoût de boulettes dans le temps des fêtes. C'est le meilleur, paraît-il...

Ragoût de boulettes et de pattes de porc

8 à 10 portions
Préparation : 1 h
Temps de cuisson : 3 h

Farine grillée

250 ml (1 tasse) de farine tout usage

Boulettes

1 kg (2 lb) de porc haché mi-maigre

2 œufs, légèrement battus

1 oignon, haché finement

Sel et poivre

10 à 15 ml (2 à 3 c. à thé) de piment de la Jamaïque

10 ml (2 c. à thé) de clou de girofle moulu

5 ml (1 c. à thé) de cannelle moulue

Ragoût

6 à 8 morceaux de pattes de porc

10 ml (2 c. à thé) de beurre

1 oignon, haché

Feuilles de céleri, hachées

1 feuille de laurier

10 ml (2 c. à thé) de clou de girofle moulu

10 ml (2 c. à thé) de piment de la Jamaïque

Gros sel

Poivre

Environ 1,5 litre (6 tasses) d'eau froide

1 boîte de 284 ml (10 oz) de consommé de bœuf

Farine grillée

1. Dans une poêle en fonte, faire griller la farine à feu moyen ou au four à 180 °C (350 °F) en remuant souvent jusqu'à ce qu'elle soit d'un beau brun doré. Passer au tamis et réserver dans un bocal bien fermé.

Boulettes

1. Dans un bol, mélanger tous les ingrédients qui composent les boulettes de porc. Façonner des boulettes de 2,5 cm (1 po) et réserver.

Ragoût

1. Faire fondre le beurre dans une casserole à fond épais. Faire revenir les pattes de porc, puis ajouter les oignons, les feuilles de céleri, le laurier, le clou de girofle, le piment de la Jamaïque, le sel et le poivre. Bien faire dorer jusqu'à ce que les pattes soient brun foncé.

2. Ajouter l'eau froide pour couvrir et porter à ébullition. Couvrir à moitié et laisser mijoter à feu moyen environ 2 h 30, jusqu'à ce que la viande soit cuite.

3. Ajouter le consommé et laisser refroidir.

4. Retirer les pattes de porc du bouillon et réserver. Porter le bouillon à ébullition et y jeter délicatement les boulettes. Laisser mijoter 10 min.

5. Ajouter de 125 à 250 ml (½ à 1 tasse) de farine grillée en la tamisant sur le bouillon. Laisser mijoter 20 min à feu doux. Remettre les pattes de porc et laisser reposer au moins 30 min avant de servir.

Rôti de veau

6 à 8 portions

Préparation : 45 min

Temps de cuisson : 2 h 30

1 rôti de fesse de veau de 2 kg
(4 ½ lb)

30 à 45 ml (2 à 3 c. à soupe) de
moutarde de Dijon

30 ml (2 c. à soupe) d'huile

15 ml (1 c. à soupe) de beurre

Sel et poivre

15 ml (1 c. à soupe) d'herbes de
Provence

1 gousse d'ail, hachée

500 ml (2 tasses) de bouillon
de poulet

8 petits oignons

10 petites carottes entières

10 pommes de terre grelots

1 rutabaga, pelé et coupé en cubes

Persil frais, haché

1. Préchauffer le four à 150 °C (300 °F).

2. Badigeonner le rôti avec la moutarde.

3. Chauffer la cocotte et ajouter l'huile et le beurre. Faire dorer la viande de tous les côtés. Ajouter le sel, le poivre, les herbes de Provence, l'ail et le bouillon. Couvrir et cuire 1 h au four.

4. Enlever le couvercle et ajouter les légumes. Remettre le couvercle et cuire environ 1 h 30, jusqu'à ce que le thermomètre à viande atteigne 77 °C (170 °F).

5. Garnir de persil et servir.

Notes

Ce plat est idéal pour recevoir.

Utilisez les restes pour faire un chop suey ou des pâtes.

J'aime apprêter le veau au printemps parce que cela me rappelle mon père qui nous emmenait souvent à la boucherie du marché. J'ai de beaux souvenirs des étals de légumes et de petits fruits frais.

Notes

Pour servir, faites tenir le jarret sur la portion de purée de topinambours que vous aurez mise au centre de chaque assiette individuelle. Entourez-le ensuite de légumes grillés.

On peut utiliser des souris d'agneau. Une souris suffira pour deux personnes. Pour gagner un peu de temps, procurez-vous du fond de veau chez votre boucher.

4 portions

Préparation : 40 min

Temps de cuisson : 2 h

50 g (1 ¾ oz) de gras de canard

4 jarrets d'agneau

100 g (3 ½ oz) de lardons, en cubes

2 oignons, hachés

2 gousses d'ail, hachées

500 ml (2 tasses) de fond de veau

125 ml (½ tasse) d'eau

1 boîte de 796 ml (28 oz) de tomates

1 bouquet garni (1 branche de thym,
1 feuille de laurier, persil, poireau)

Sel et poivre

Légumes

4 betteraves, pelées et coupées en
tranches

4 panais, pelés et coupés en deux sur
la longueur

4 carottes avec leurs fanes, pelées et
coupées en deux sur la longueur

8 petits navets blancs, en quartiers

12 pâtissons

12 asperges vertes

Huile d'olive

Sel et poivre

Purée

24 topinambours, pelés

1 gousse d'ail, émincée

5 ml (1 c. à thé) de beurre

Sel et poivre

Jarrets d'agneau et légumes grillés

1. Préchauffer le four à 190 °C (375 °F).

2. Dans une grande cocotte à fond épais, faire fondre le gras de canard. Faire revenir les jarrets et les lardons jusqu'à ce qu'ils soient légèrement colorés. Réserver.

3. Dans la même cocotte où il restera du gras, faire revenir les oignons et l'ail environ 2 min. Remettre les jarrets et les lardons, puis ajouter le fond de veau, l'eau, les tomates et le bouquet garni. Saler et poivrer.

4. Couvrir et cuire 1 h 30 au four. Vérifier si la viande se défait bien de l'os, sinon poursuivre la cuisson.

Légumes

1. Préchauffer le four à 200 °C (400 °F).

2. Mettre les légumes dans un grand bol et enrober d'huile d'olive. Étaler sur une plaque à pâtisserie sur une seule couche. Saler et poivrer.

3. Cuire environ 30 min, jusqu'à ce que les légumes soient cuits et croquants, en vérifiant la cuisson de temps à autre.

Purée

1. Cuire les topinambours à l'eau bouillante jusqu'à ce qu'ils soient tendres. Égoutter. Réduire en purée avec l'ail et le beurre. Saler et poivrer.

Côtes levées et riz à l'échalote

6 à 8 portions
Préparation : 5 min
Temps de cuisson : 1 h 30

Côtes levées

2 kg (4 ½ lb) de côtes de porc

1 pot de sauce à l'ail pour côtes levées de 341 ml (style VH)

125 ml (½ tasse) de cassonade

80 ml (⅓ tasse) de ketchup

1 oignon, haché

2 gousses d'ail, hachées

45 ml (3 c. à soupe) de vinaigre de riz

80 ml (⅓ tasse) de mélasse

60 ml (¼ tasse) de miel

Riz à l'échalote

30 ml (2 c. à soupe) d'huile

250 ml (1 tasse) de riz à grain long

1 petit oignon, haché finement

500 ml (2 tasses) de bouillon de poulet

Sel et poivre

60 ml (¼ tasse) de céleri, haché

60 ml (¼ tasse) de poivron rouge, haché

60 ml (¼ tasse) d'échalotes, hachées

15 ml (1 c. à soupe) de persil frais, haché

Côtes levées

1. Préchauffer le four à 190 °C (375 °F).

2. Couper les côtes de porc entre les os. Déposer dans une casserole et couvrir d'eau. Faire bouillir 10 min et égoutter.

3. Dans un bol, mélanger la sauce à l'ail, la cassonade, le ketchup, les oignons, l'ail, le vinaigre, la mélasse et le miel. Verser sur les côtes levées.

4. Cuire à découvert pendant 1 h 15 en remuant de temps à autre afin que les côtes soient toujours enrobées de sauce.

Riz à l'échalote

1. Dans une poêle, chauffer l'huile à feu vif.

2. Ajouter le riz, remuer et rissoler environ 1 min, jusqu'à ce qu'il soit doré.

3. Ajouter les oignons et remuer.

4. Baisser le feu, puis ajouter le bouillon en remuant. Saler et poivrer. Cuire à découvert à feu doux environ 30 min sans remuer.

5. Ajouter le céleri, les poivrons, les échalotes et remuer légèrement. Continuer la cuisson pendant 10 min.

6. Ajouter le persil juste avant de servir.

Notes

Vous pouvez utiliser des pilons de poulet.

Le riz à l'échalote peut se transformer en un repas complet si on lui ajoute du poulet.

Voici une autre recette gagnante. Très appréciée par ma famille. Immanquablement, il reste toujours au fond du plat une côte levée que chacun reluque mais que, par politesse, personne n'ose prendre...

Mon mari et mes fils sont des adeptes de la chasse au chevreuil et à l'orignal. Leur voyage de chasse annuel est sacré. C'est un beau rituel que j'ai toujours respecté.

Tourte de gibier

6 à 8 portions

Préparation : 40 min

Temps de cuisson : 5 h

680 g (1 ½ lb) de viande sauvage en cubes (lièvre, canard, orignal, chevreuil) au goût

225 g (½ lb) de lardons

225 g (½ lb) de porc, en cubes

225 g (½ lb) de veau, en cubes

1 paquet de pâte à tarte du commerce

6 à 8 pommes de terre, en cubes

Sel et poivre

1 jaune d'œuf

15 ml (1 c. à soupe) d'eau

Marinade

2 oignons, hachés

2 carottes, hachées

1 branche de céleri, hachée

2 branches de thym, de sarriette et de marjolaine

Sel et poivre

3 gousses d'ail, écrasées

250 ml (2 tasses) de vin blanc

1. Dans un bol, mélanger tous les ingrédients de la marinade. Ajouter la viande et les lardons et bien mélanger à nouveau.

2. Couvrir, mettre au frigo et faire mariner toute la nuit.

3. Préchauffer le four 180 °C (350 °F).

4. À l'aide d'un rouleau à pâtisserie, abaisser les trois quarts de la pâte et tapisser le fond d'une cocotte d'une capacité de 10 tasses (diamètre de 23 cm/9 po; hauteur de 10 cm/4 po).

5. Déposer le tiers du mélange de viande sauvage, de lardons, de porc et de veau au fond de la rôtissoire et couvrir avec le tiers des pommes de terre. Saler et poivrer.

6. Répéter l'opération deux autres fois.

7. Ajouter le jus de la marinade.

8. Couvrir avec la pâte restante.

9. Faire une incision au centre du pâté pour laisser s'échapper la vapeur pendant la cuisson.

10. Dans un petit bol, battre le jaune d'œuf et l'eau et badigeonner le dessus de la tourte.

11. Cuire au four pendant 1 h à 180 °C (350 °F) en surveillant de temps à autre pour ne pas faire brûler la pâte. Au besoin, recouvrir d'un papier d'aluminium.

12. Baisser la température du four à 120 °C (250 °F) et poursuivre la cuisson pendant 4 h.

13. Servir avec du Ketchup aux fruits maison (page 207).

Tourtière du Lac-Saint-Jean de Gaby

12 à 15 portions

Préparation : 1 h 30

Temps de cuisson : 12 h

Pâte brisée

1 litre (4 tasses) de farine tout usage

10 ml (2 c. à thé) de sel

250 ml (1 tasse) de saindoux

Eau glacée

Tourtière

2,25 kg (5 lb) de pommes de terre, pelées et coupées en cubes de 2,5 cm (1 po)

1,4 kg (3 lb) de cubes de bœuf de 2,5 cm (1 po)

1,4 kg (3 lb) de cubes de porc de 2,5 cm (1 po)

1,4 kg (3 lb) de cubes de veau de 2,5 cm (1 po)

450 g (1 lb) de cubes de lard salé entrelardé

3 gros oignons, hachés finement

30 ml (2 c. à soupe) d'assaisonnement pour bifteck

Sel et poivre

1 litre (4 tasses) d'eau

1 litre (4 tasses) de bouillon de bœuf

1 œuf, battu avec un peu de lait

Pâte brisée

1. Dans un grand bol, mélanger la farine et le sel. À l'aide d'un coupe-pâte, couper le saindoux dans la farine jusqu'à ce qu'elle ait l'apparence de gros pois.

2. Incorporer l'eau rapidement pour former une boule non collante.

3. Envelopper la boule dans du papier ciré et réfrigérer pendant 2 h.

Tourtière

1. Couvrir les pommes de terre d'eau froide et laisser tremper toute la nuit à température ambiante.

2. Dans un grand bol, mélanger les viandes, les oignons, l'assaisonnement pour bifteck, le sel et le poivre. Laisser mariner toute la nuit dans le réfrigérateur.

3. Préchauffer le four à 135 °C (275 °F).

4. Étendre les trois quarts de la pâte brisée dans le fond d'une rôtissoire.

5. Mélanger les viandes et les pommes de terre et étaler sur la pâte. Ajouter l'eau et le bouillon, saler et poivrer.

6. Couvrir avec la pâte restante. Bien mouiller et sceller la pâte. Piquer le dessus à quelques reprises et badigeonner avec l'œuf battu. Couvrir et cuire 12 h au four.

7. Enlever le couvercle pour la dernière heure de cuisson afin d'obtenir une croûte plus dorée. Vérifier la quantité de liquide et rajouter de l'eau au besoin.

Note

La tourtière de Gaby est indéniablement
la meilleure qui soit ! N'hésitez pas à
utiliser du gibier. C'est la tourtière qu'il
faut offrir à vos invités pour le réveillon.
Ce mets est un choix de prédilection pour
le temps des Fêtes. Si vous êtes pressé,
vous pouvez vous permettre d'acheter de
la pâte brisée dans le commerce.

Chaque année, la mère de René
nous fait cadeau de sa merveilleuse
Tourtière. Nous apprécions Tous
sa grande générosité qui ne se
dément pas.

Cette recette est un héritage précieux
aye j'ai reçu de ma mère et de ma
grand-mère, deux femmes ayi ont
marayé ma vie et à ayi je pense
souvent avec grande émotion.

Ma fameuse tourtière

Pâte brisée

500 ml (2 tasses) de farine tout usage

5 ml (1 c. à thé) de sel

125 ml (½ tasse) de saindoux

Eau glacée

Garniture

375 ml (1 ½ tasse) de porc haché

1 oignon, haché

60 ml (¼ tasse) de céleri, haché

5 à 10 ml (1 à 2 c. à thé) de piment de la Jamaïque

5 ml (1 c. à thé) de clou de girofle moulu

Sel et poivre

1 pomme de terre

1 jaune d'œuf, battu

Gros sel

Pâte brisée

1. Mélanger la farine et le sel. À l'aide d'un coupe-pâte, couper le saindoux dans la farine jusqu'à ce qu'elle ait l'apparence de gros pois.

2. Incorporer l'eau rapidement pour former une boule non collante.

3. Envelopper la boule dans du papier ciré et réfrigérer.

Garniture

1. Dans une casserole à fond épais, cuire le porc à feu doux avec tous les ingrédients, sauf la pomme de terre. Laisser mijoter 20 min à feu doux.

2. Cuire la pomme de terre à l'eau bouillante légèrement salée et réduire en purée. Mélanger avec la viande et laisser refroidir.

3. Préchauffer le four à 200 °C (400 °F).

4. Abaisser la pâte et la séparer en deux abaisses. Déposer une abaisse au fond d'un moule à tarte.

5. Remplir l'abaisse avec le mélange de viande. Mouiller le bord et recouvrir avec la seconde abaisse. Sceller en pinçant la pâte.

6. Badigeonner avec le jaune d'œuf. Saupoudrer avec un peu de gros sel et cuire au four 30 min.

Note

Faites plusieurs tourtières à la fois et congelez-les. Rehaussez le goût de cette tourtière avec du Ketchup aux fruits maison (page 207).

Smoked meat

12 à 15 portions

Préparation : 30 min

Temps de cuisson : 5 h

1 pointe de poitrine de bœuf (brisket) de 4 à 5 kg (9 à 11 lb)

80 ml (⅓ tasse) de sucre

30 ml (2 c. à soupe) de salpêtre (acheté en pharmacie)

80 ml (⅓ tasse) de gros sel

60 ml (¼ tasse) de piment de la Jamaïque moulu

30 ml (2 c. à soupe) de poudre d'ail

15 ml (1 c. à soupe) de cannelle moulue

1 boîte de 100 g (3 ½ oz) d'épices à marinades

1. Mélanger tous les ingrédients, sauf la viande.

2. Mettre de grandes feuilles de papier d'aluminium épais sur une plaque à pâtisserie et étaler la moitié des épices.

3. Placer le morceau de viande sur les épices et saupoudrer les épices restantes sur le dessus.

4. Envelopper la viande hermétiquement dans le papier d'aluminium et réfrigérer pendant 5 jours.

5. Mettre la viande non déballée dans un four froid. Cuire pendant 5 h à 150 °C (300 °F).

6. Déballer le smoked meat et découper en fines tranches. Pour un goût un peu moins épicé, racler la viande pour retirer les épices avant de la trancher.

Astuces

Il faut prévoir la préparation de cette recette à l'avance, car le boucher n'a pas toujours cette pièce de viande disponible le jour même. Il faut aussi compter un temps de marinade de 5 jours.

Servez le smoked meat avec des marinades, des moutardes parfumées, du pain de seigle, une ou deux salades et un dessert. Voilà un menu de réception qui laissera un souvenir inoubliable à vos invités.

Voici ma recette de prédilection pour mes réceptions familiales.
Tout le monde aime cette viande goûteuse et tendre qyi est
évidemment d'une qyalité supérieure à celle du smoked meat vendu
dans le commerce. Ce mets est simple à préparer et n'exige pas
de longues heures en cuisine. J'aimerais bien vous dire qye les
restes se congèlent, mais je n'en ai jamais eu...

Cette recette est un souvenir de ma Tante Claire qui aimait nous inviter chez elle pour partager avec nous son fameux spaghetti. Mes fils aiment bien la sauce relevée et piquante, ce qui me permet d'abuser parfois du piment de Cayenne.

Sauce à spaghetti

8 à 10 portions

Préparation : 40 min

Temps de cuisson : 3 h

60 ml (4 c. à soupe) d'huile d'olive

2 gros oignons, hachés

3 gousses d'ail, hachées

1 boîte de 1,36 litre (48 oz) de jus de tomate

1 boîte de 796 ml (28 oz) de tomates broyées

1 feuille de laurier

5 ml (1 c. à thé) de moutarde sèche

5 ml (1 c. à thé) de sucre

5 ml (1 c. à thé) de clou de girofle moulu

10 ml (2 c. à thé) de piment de la Jamaïque

½ à 1 c. à thé de piments de Cayenne séchés

Sel et poivre

1 boîte de 156 ml (5 ½ oz) de pâte de tomates

450 g (1 lb) de bœuf haché

450 g (1 lb) de porc haché

Champignons frais ou en conserve, sautés au beurre (facultatif)

Parmesan, fraîchement râpé

1. Chauffer la moitié de l'huile dans une grande casserole à fond épais. Faire revenir les oignons et l'ail 2 min sans laisser brunir.

2. Ajouter le jus de tomate, les tomates, le laurier, la moutarde sèche, le sucre, le clou de girofle, le piment de la Jamaïque, les piments séchés, le sel et le poivre. Porter à ébullition. Réduire la chaleur et laisser mijoter 2 h 30 à feu doux.

3. Ajouter la pâte de tomates et remuer.

4. Cuire le bœuf et le porc dans l'huile restante en remuant tout en évitant de défaire la viande en petits morceaux. Mélanger avec la sauce.

5. Ajouter les champignons sautés.

6. Laisser mijoter la sauce à feu doux environ 30 min. Servir sur des pâtes telles que les spaghettinis. Ajouter du parmesan au goût.

Note

On peut utiliser de la viande hachée sauvage comme le chevreuil ou l'orignal. Cette sauce se congèle très bien.

Le meilleur pâté chinois

8 portions
Préparation : 30 min
Temps de cuisson : 40 min

500 ml (2 tasses) de porc, cuit et coupé en cubes

Beurre

2 oignons, hachés

Thym frais ou séché

Sel et poivre

1 boîte de 398 ml (14 oz) de maïs en crème

5 ou 6 pommes de terre, cuites

Beurre, lait et thym

1. Faire dorer les oignons dans le beurre et réserver.

2. Dans la même poêle, faire revenir et cuire légèrement les cubes de porc.

3. Mettre la viande, les oignons et le thym dans un plat en pyrex. Saler et poivrer. Couvrir avec le maïs.

4. Réduire les pommes de terre en purée avec du beurre, du lait et du thym. Étendre la purée sur le maïs.

5. Cuire au four 30 min à 150 °C (300 °F).

Notes

Vous pouvez utiliser n'importe quel reste de viande.

Pour des pommes de terre plus onctueuses, ajoutez 60 ml (¼ tasse) de crème 15 % et un jaune d'œuf battu.

Une des grandes richesses de la vie à la campagne est de fraterniser avec des personnes très généreuses qui aiment rendre service. Elles savent prendre le temps de parler de leur vie et de s'intéresser aux autres. Mes voisins Jean, Christiane, Chantal, Yves, Alain, Bob, Donald, Normand, Léandre, Serge et Pierre font partie de celles-là.

Je prépare Toujours une lasagne ayand les chasseurs parTent dans les bois TouTe une semaine. Ils me disenT qu'il s'agiT d'un grand signe d'amour de ma parT eT qu'ils onT une bonne pensée pour moi au moment de la dégusTer dans leur camp de chasse.

Lasagne gourmande

6 portions

Préparation : 40 min

Temps de cuisson : 1 h 15

12 lasagnes

30 ml (2 c. à soupe) d'huile

2 oignons, hachés

2 gousses d'ail, écrasées

450 g (1 lb) de bœuf haché

1 boîte de 796 ml (28 oz) de tomates italiennes en cubes, avec leur jus

1 boîte de 680 ml (24 oz) de sauce tomate

10 ml (2 c. à thé) d'origan séché

5 ml (1 c. à thé) de basilic séché

Sel et poivre

250 ml (1 tasse) de ricotta

250 ml (1 tasse) de cottage

125 ml (½ tasse) de parmesan, fraîchement râpé

1 œuf

6 à 8 tranches de jambon cuit

500 ml (2 tasses) d'épinards en feuilles

375 ml (1 ½ tasse) de mozzarella, râpée

1. Chauffer l'huile dans une casserole et faire revenir les oignons, l'ail et le bœuf en les laissant colorer légèrement.

2. Ajouter les tomates, la sauce tomate, l'origan, le basilic, le sel et le poivre. Laisser mijoter de 25 à 30 min à feu doux. Réserver.

3. Préchauffer le four à 180 °C (350 °F).

4. Mélanger la ricotta, le cottage, le parmesan et l'œuf dans un bol et réserver.

5. Cuire les lasagnes à l'eau bouillante salée. Égoutter.

6. Monter la lasagne dans un grand plat allant au four : mettre un peu de sauce au fond et couvrir avec un rang de lasagnes. Ajouter le fromage et le jambon. Couvrir avec un autre rang de lasagnes. Mettre de la sauce et ajouter les épinards. Couvrir de lasagnes.

7. Terminer avec un peu de sauce et saupoudrer de mozzarella. Cuire au four environ 45 min.

Note

Ce plat se congèle très bien. Séparez-le en portions individuelles avant la congélation. Un régal à l'heure du lunch !

Couscous

4 à 6 portions

Préparation : 30 min

Temps de cuisson : 50 min

8 pilons de poulet

30 ml (2 c. à soupe) d'huile végétale

5 oignons, hachés

5 gousses d'ail, hachées

2 ml (½ c. à thé) de cari

2 ml (½ c. à thé) de coriandre

5 ml (1 c. à thé) de muscade moulue

1 ml (¼ c. à thé) de cannelle moulue

5 ml (1 c. à thé) de carvi

Sel et poivre

1 boîte de 796 ml (28 oz) de tomates

375 ml (1 ½ tasse) d'eau ou de bouillon de poulet

6 carottes, en rondelles

2 poivrons rouges, en gros morceaux

8 petites patates nouvelles, en cubes

2 branches de céleri, en morceaux

2 courgettes ou potirons, en rondelles

4 merguez

1 boîte de 540 ml (19 oz) de pois chiches, égouttés

Semoule

500 ml (2 tasses) de bouillon de poulet

10 ml (2 c. à thé) d'huile

Sel

375 ml (1 ½ tasse) de semoule de blé

1. Dans une casserole, faire revenir le poulet dans l'huile. Ajouter les oignons et l'ail et cuire 10 min.

2. Ajouter les épices, le sel et le poivre. Ajouter les tomates et l'eau et laisser mijoter 20 min à feu doux.

3. Ajouter les légumes, couvrir et cuire jusqu'à ce qu'ils soient tendres.

4. Faire griller les merguez et les couper en deux. Ajouter les merguez et les pois chiches aux légumes. Baisser le feu et laisser mijoter doucement 20 min.

Semoule

1. Porter le bouillon à ébullition, ajouter l'huile et une pincée de sel. Retirer du feu. Ajouter la semoule, couvrir et laisser reposer 5 min. Défaire les grains à l'aide d'une fourchette.

Note

Servez le couscous dans un grand plat que vous poserez au centre de la table. Présentez la semoule à part ainsi qu'un bol de raisins secs et un autre de harissa pour les amateurs de goût épicé.

J'ai des cabanes d'oiseaux et des mangeoires tout autour de la maison. C'est ma folie! Je dois acheter d'énormes quantités de graines, mais j'aime tellement observer les oiseaux par la fenêtre de ma cuisine. La nature à son meilleur...

Pour nous, le poulailler a une grande valeur sentimentale, car c'est Olivier qui l'a construit avec son grand-père. Mon petit-fils est un fonceur, un garçon qui a du cœur au ventre et qui aime le travail bien fait. Il a toute mon admiration.

Fèves au lard

12 portions

Préparation : 30 min

Temps de cuisson : 8 h

450 g (1 lb) de haricots blancs secs

1,25 litre (5 tasses) d'eau froide

3 oignons, en fines tranches

15 ml (1 c. à soupe) de sel

Poivre

30 ml (2 c. à soupe) de vinaigre de vin

15 ml (1 c. à soupe) de moutarde forte

125 ml (½ tasse) de cassonade

125 ml (½ tasse) de mélasse

125 ml (½ tasse) de ketchup

Viande sauvage au goût (caille, faisan, pintade, lièvre, etc.), en morceaux

225 g (½ lb) de bacon, en tranches

1. Faire tremper les haricots dans l'eau froide toute la nuit.

2. Chauffer le four à 120 °C (250 °F).

3. Laisser mijoter les haricots dans leur eau de trempage pendant 30 min à feu doux. Écumer et verser dans une cocotte à fond épais qui ferme bien.

4. Mélanger les oignons, le sel, le poivre, le vinaigre, la moutarde, la cassonade, la mélasse et le ketchup. Verser dans la cocotte et bien mélanger.

5. Enfouir les morceaux de viande dans les haricots. Déposer les tranches de bacon sur le dessus. Le liquide doit recouvrir les haricots.

6. Bien fermer le couvercle. Après 6 h de cuisson, vérifier la quantité de liquide et en rajouter au besoin. Laisser cuire 2 h de plus.

Note

Si l'on fait cuire les fèves au lard pendant la nuit, la maison sera remplie d'arômes irrésistibles au petit matin.

Baluchons de poulet à la dijonnaise

4 portions

Préparation : 35 min

Temps de cuisson : 40 min

4 suprêmes de poulet, coupés en languettes ou en cubes

Sel et poivre

30 ml (2 c. à soupe) d'huile d'olive

5 ml (1 c. à thé) de beurre

80 ml (⅓ tasse) de moutarde de Dijon

375 ml (1 ½ tasse) de crème 15 % épaisse

30 ml (2 c. à soupe) d'estragon frais

8 feuilles de pâte filo

80 ml (⅓ tasse) de beurre, fondu

60 ml (¼ tasse) de chapelure

1 œuf, battu avec 5 ml (1 c. à thé) d'eau

4 brins d'estragon

Astuce

Il m'arrive d'augmenter la quantité de sauce que je réserve pour le service.

1. Préchauffer le four à 200 °C (400 °F).

2. Saler et poivrer le poulet.

3. Dans une poêle, mélanger l'huile et le beurre. Faire revenir le poulet jusqu'à ce qu'il perde sa couleur rosée. Retirer de la poêle et réserver au chaud.

4. Déglacer la poêle avec la moutarde et la crème et laisser épaissir quelques minutes.

5. Retirer la poêle du feu et mettre les morceaux de poulet dans la sauce. Ajouter l'estragon et bien mélanger. Réserver.

6. Sur un linge humide, déposer une feuille de pâte filo et, à l'aide d'un pinceau, badigeonner de beurre fondu. Saupoudrer légèrement de chapelure.

7. Mettre une deuxième feuille de pâte sur la première, badigeonner de beurre et saupoudrer de chapelure. Répéter les opérations pour une troisième et une quatrième feuille.

8. Couper les feuilles au centre, du côté le plus long, pour obtenir deux carrés de même grosseur.

9. Répéter les étapes 6 à 8 avec les 4 autres feuilles pour obtenir 2 autres carrés.

10. Répartir le poulet en 4 portions égales et déposer chaque portion au centre d'un carré de pâte.

11. Rabattre les deux extrémités du carré au centre, puis les deux autres côtés, afin de bien sceller le poulet à l'intérieur et former un gros rouleau. Faire 3 autres rouleaux de la même façon.

12. Déposer les 4 rouleaux sur une plaque à pâtisserie antiadhésive en plaçant l'ouverture vers le fond. Badigeonner avec l'œuf.

13. Cuire au four de 15 à 20 min, jusqu'à ce que la pâte soit dorée.

14. Couper en tranches et garnir avec un brin d'estragon. Servir avec des asperges au beurre (page 126).

Les grands potagers à perte de vue et bien entretenus m'ont toujours fait rêver, mais j'ai un peu de mal avec le mien parce aye mes chèvres mangent les pousses, les chevreuils broutent les feuilles et mes petits-enfants prennent tout le reste...

Je fais souvent cuire la volaille à feu doux, poitrine tournée vers le fond de la cocotte. J'aime la faire cuire pendant la nuit à chaleur très douce. Au petit matin, son odeur irrésistible nous réveille dans la joie.

Poulet au romarin, à l'ail et au citron

4 portions

Préparation : 20 min

Temps de cuisson : 1 h 30

1 poulet de 1,6 kg (3 ½ lb)

5 branches de romarin

Le zeste et le jus de 2 citrons

2 gousses d'ail, hachées

80 ml (⅓ tasse) d'huile d'olive

Sel et poivre

Notes

Achetez de plus petits poulets afin que chaque convive puisse manger le morceau de son choix.

N'ayez pas peur d'augmenter la quantité d'herbes.

1. Préchauffer le four à 190 °C (375 °F).

2. Effeuiller les branches de romarin.

3. Dans un bol, mélanger le romarin, le zeste et le jus de citron, l'ail et l'huile.

4. Mettre le poulet dans une rôtissoire et badigeonner avec le mélange. Faire pénétrer l'assaisonnement entre la peau et la chair.

5. Saler et poivrer abondamment.

6. Cuire au four à découvert environ 1 h 30, jusqu'à ce qu'une cuisse se détache facilement et que la peau soit bien grillée.

7. Servir accompagné de pâtes au pesto.

4 à 6 portions

Préparation : 20 min

Temps de cuisson : 50 min

1 poulet de 1,6 kg (3 ½ lb), découpé en morceaux

30 ml (2 c. à soupe) d'huile d'olive

40 gousses d'ail, non épluchées

375 ml (1 ½ tasse) de vin blanc

5 branches de thym

1 branche de romarin

30 ml (2 c. à soupe) de persil frais, haché

Sel et poivre

30 ml (2 c. à soupe) de cognac ou de brandy (facultatif)

Persil frais, haché

Notes

L'ail devient confit en cuisant. Écrasez-le sur une tranche de pain.

Ne craignez pas le goût d'ail dans cette recette.

Poulet
aux 40 gousses d'ail

1. Préchauffer le four à 180 °C (350 °F).

2. Dans une grande casserole allant au four, chauffer l'huile et faire revenir les morceaux de poulet jusqu'à ce qu'ils soient dorés de tous les côtés. Réserver.

3. Dans la même casserole, faire revenir les gousses d'ail de 2 à 3 min.

4. Ajouter le vin, le thym, le romarin et le persil. Bien remuer en prenant soin de racler le fond de la casserole.

5. Remettre le poulet dans la casserole, saler et poivrer.

6. Couvrir et cuire au four 45 min. Vérifier que la chair se détache facilement de l'os et continuer la cuisson au besoin.

7. Dans une louche métallique, faire flamber le cognac et le verser délicatement sur le poulet.

8. Déposer les morceaux de poulet dans un plat, disposer les gousses d'ail autour et saupoudrer de persil.

9. Servir avec de la Caponata (page 134) et du pain croûté sur lequel on peut étendre de l'ail confit.

J'ai eu Tellement de plaisir à cuisiner avec Clémence DesRochers dans le cadre de ses émissions de Télé. C'est l'une des femmes les plus drôles ET généreuses aye j'ai eu le privilège de côToyer au cours de ma vie.

Cette recette se trouvait déjà dans mon premier livre intitulé Maman, qu'est-ce qu'on mange? C'est mon plus vieux succès et il a très bien traversé le temps et les générations.

Poulet barbecue

6 à 8 portions

Préparation : 30 min

Temps de cuisson : 1 h

2 ou 3 poulets pour le barbecue

60 ml (¼ tasse) d'huile d'olive

60 ml (¼ tasse) de vinaigre

30 ml (2 c. à soupe) de paprika

Sel et poivre

1. Préchauffer le four à 190 °C (375 °F).

2. Avec du papier essuie-tout, bien assécher les poulets et les mettre dans une rôtissoire.

3. Mélanger l'huile et le vinaigre et verser sur le poulet.

4. Saupoudrer généreusement de paprika. Saler et poivrer.

5. Cuire au four environ 2 h, jusqu'à ce qu'une cuisse se détache facilement et que la peau soit bien grillée.

6. Servir le poulet avec la Sauce barbecue et la Salade de chou crémeuse ainsi que des Frites de patates douces (page 129).

Sauce barbecue

45 ml (3 c. à soupe) de beurre

45 ml (3 c. à soupe) de farine

375 ml (1 ½ tasse) d'eau chaude

125 ml (½ tasse) de ketchup

15 ml (1 c. à soupe) de vinaigre

45 ml (3 c. à soupe) de cassonade

5 ml (1 c. à thé) de moutarde sèche

1 ml (¼ c. à thé) de thym

1 gousse d'ail, écrasée

Poivre de Cayenne au goût

Sel et poivre

1. Dans une petite casserole, faire fondre le beurre à feu moyen et ajouter la farine.

2. Incorporer l'eau chaude peu à peu en remuant sans cesse.

3. Ajouter tous les autres ingrédients et faire bouillir 5 min.

4. Rectifier l'assaisonnement au besoin.

Salade de chou crémeuse

10 portions

1 chou vert

1 carotte

180 ml (¾ tasse) de mayonnaise

80 ml (⅓ tasse) de vinaigre de cidre

45 ml (3 c. à soupe) de sucre

5 ml (1 c. à thé) de sauce Worcestershire

5 ml (1 c. à thé) de sel

2 ml (½ c. à thé) de poivre

1. Hacher le chou et la carotte à l'aide du robot de cuisine.

2. Mélanger tous les autres ingrédients dans un bol à l'aide d'un fouet.

3. Bien mélanger les légumes avec la vinaigrette.

4. Réfrigérer au moins 4 h avant de servir.

Dinde de Noël

15 portions
Préparation : 30 min
Temps de cuisson : 6 h environ

1 dinde de 4,5 à 5,5 kg (10 à 12 lb) environ

Vinaigre blanc

1 gros oignon, coupé

2 feuilles de laurier

3 branches de thym frais ou séché

Sel et poivre

125 ml (½ tasse) de beurre, ramolli

45 ml (3 c. à soupe) d'assaisonnement pour volaille

250 ml (1 tasse) de bouillon de poulet

Notes

N'oubliez pas la gelée de canneberge.

Si vous avez des os et des restes de dinde, utilisez-les pour faire une soupe.

Os, peau et carcasse de dinde

Eau froide

Sel et poivre

125 ml (½ tasse) de céleri, haché

125 ml (½ tasse) carottes, hachées

60 ml (¼ tasse) de navet, haché

2 feuilles de laurier

2 branches de thym

60 ml (¼ tasse) de coquilles (pâtes)

Morceaux de dinde

1. Préchauffer le four à 120 °C (250 °F).

2. La dinde doit être à température ambiante au moment de la préparation. Bien essuyer l'intérieur et l'extérieur de la volaille avec un linge imbibé de vinaigre.

3. Farcir l'intérieur avec les oignons, le laurier, le thym, le sel et le poivre.

4. Badigeonner la dinde avec le beurre. Ajouter l'assaisonnement pour volaille, saler et poivrer l'intérieur et l'extérieur. Mettre dans une cocotte en porcelaine ou en fonte émaillée ou dans une rôtissoire munie d'un couvercle étanche. Ajouter le bouillon au fond de la cocotte et poser le couvercle.

5. Cuire environ 30 min par lb (450 g) ou environ 6 h, jusqu'à ce que l'os de la cuisse se détache facilement. Arroser à quelques reprises en cours de cuisson. Réserver la sauce. Rectifier l'assaisonnement.

6. Servir avec des choux de Bruxelles, une purée de carottes et de pommes de terre ou un mélange de champignons et de poivrons sautés.

Soupe à la dinde

1. Déposer les os, la peau et la carcasse de dinde dans une casserole haute. Couvrir d'eau froide, saler et poivrer. Laisser bouillir à feu doux environ 1 h 30.

2. Verser dans une passoire et ne conserver que le bouillon. Porter à ébullition et rectifier l'assaisonnement.

3. Ajouter les légumes, le laurier, le thym et les pâtes. Cuire à feu doux de 30 à 40 min. Ajouter les morceaux de dinde.

Depuis quelques années, j'élève des dindes. À l'automne, je fais une « épluchette de dindes ». J'invite les membres de ma famille à venir plumer leur dinde. C'est TOUTE une aventure, croyez-moi !

Poisson

ET

fruits de mer

Saumon aux épices et à l'érable

4 portions

Préparation : 10 min

Temps de cuisson : 10 min

4 filets de saumon de 180 à 200 g (6 à 7 oz) chacun

125 ml (½ tasse) de sirop d'érable

30 ml (2 c. à soupe) de grains de coriandre

30 ml (2 c. à soupe) de graines de moutarde

15 ml (1 c. à soupe) de graines de fenouil

7 ml (½ c. à soupe) de gros sel

15 ml (1 c. à soupe) de poivre noir en grains

30 ml (2 c. à soupe) d'huile d'olive

Notes

La préparation aux épices peut se faire la veille.

Variez le poisson à votre goût.

1. Faire mariner les filets de saumon dans le sirop d'érable pendant 1 h au réfrigérateur.

2. Préchauffer le four à 230 °C (450 °F).

3. Mélanger les épices et les broyer grossièrement à l'aide d'un mortier, d'un mini-hachoir ou d'un moulin à café.

4. Étendre les épices dans une assiette. Éponger les filets et les passer dans les épices.

5. Chauffer l'huile dans un poêlon et colorer les filets de tous les côtés.

6. Mettre au four de 5 à 8 min, juste assez pour que le centre du filet reste rosé.

Les enfants ont appris à pêcher avec leur grand-père dans le petit lac, près de la Maison verte. Émile a même été baptisé sur le petit pont qui traverse le ruisseau lors d'une grande fête familiale mémorable.

Nous avons eu le privilège d'assister
à la naissance de plusieurs animaux à
la fermette : des chevaux, des chèvres,
des lamas et des chats. Nous aurons
bientôt la chance d'avoir des alpagas.

Brochettes de lotte au romarin

6 portions

Préparation : 15 min

Temps de cuisson : 40 min

450 g (1 lb) de lotte, coupée en 18 gros cubes

6 brins de romarin frais, effeuillés

2 gousses d'ail, hachées

60 ml (¼ tasse) d'huile d'olive

5 ml (1 c. à thé) de poivre du moulin

18 tranches de prosciutto

60 ml (¼ tasse) de vinaigre balsamique

6 brochettes en métal ou en bambou

1. Dans un bol en verre, mélanger les cubes de lotte, le romarin, l'ail, l'huile et le poivre. Couvrir et faire mariner 1 h au réfrigérateur.

2. Préchauffer le four à 190 °C (375 °F).

3. Envelopper chaque cube de lotte dans une tranche de prosciutto et enfiler 3 cubes sur chacune des brochettes.

4. Badigeonner les brochettes de vinaigre balsamique et les ranger sur une plaque à pâtisserie. Cuire au four de 35 à 40 min. Vérifier la cuisson avant de servir avec une salade verte à la vinaigrette balsamique.

Notes

Essayez d'autres variétés de poisson ou de fruits de mer (saumon, pétoncles, crevettes, etc.).

Variez les fines herbes (basilic, thym, estragon, etc.).

Prenez du jus de citron au lieu du vinaigre.

Truite au vin blanc

4 à 6 portions

Préparation : 10 min

Temps de cuisson : 20 min

4 à 6 filets de truite ou de doré

1 oignon, en rondelles

1 citron, en rondelles

250 ml (1 tasse) de vin blanc

45 ml (3 c. à soupe) d'épices pour poissons ou de sel marin aux algues

Sel et poivre

4 ou 5 noisettes de beurre

1. Préchauffer le four à 230 °C (450 °F).

2. Déposer les rondelles d'oignon et de citron dans un plat de cuisson en porcelaine beurré. Étendre le poisson sur ce lit.

3. Verser le vin, puis ajouter les épices, le sel et le poivre. Mettre les noisettes de beurre sur le poisson.

4. Couvrir d'un papier d'aluminium épais. Bien fermer.

5. Mettre au four. Calculer 10 min de cuisson par 2,5 cm (1 po) d'épaisseur. Cuire jusqu'à ce que la chair soit opaque.

Notes

Je fais mariner le poisson quelques minutes avant la cuisson. Vous pouvez aussi faire cette recette en papillote.

Servez ces filets avec du riz nature et une variété de légumes : courgettes, poivrons de différentes couleurs, oignons en bâtonnets, etc.

Manger du poisson est une solution santé qui demande peu de temps et de préparation. J'aime le faire cuire au four à chaleur élevée ou encore en papillotes sur le barbecue.

J'aime bien passer du Temps dans les encans, les brocantes et les marchés publics. Les gens y sont accueillants et j'y fais souvent des trouvailles exceptionnelles pour décorer la fermette.

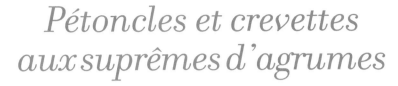

Pétoncles et crevettes aux suprêmes d'agrumes

4 portions
Préparation : 25 min
Temps de cuisson : 10 min

2 oranges, pelées à vif

1 pamplemousse rose, pelé à vif

1 lime, pelée à vif

1 citron, pelé à vif

4 oignons verts, hachés

12 tomates cerises, coupées en deux

30 ml (2 c. à soupe) d'huile

1 gousse d'ail, hachée finement

1 morceau de gingembre frais de 2,5 cm (1 po), haché finement

340 g (¾ lb) de crevettes moyennes crues, décortiquées

340 g (¾ lb) de pétoncles, parés (enlever le muscle)

Sel et poivre

60 ml (¼ tasse) de persil plat frais, ciselé

1. Lever les quartiers d'agrumes au-dessus d'un bol afin de conserver leur jus pour un autre usage. Réserver les quartiers dans un autre bol avec les oignons verts et les tomates cerises.

2. Dans un grand poêlon, chauffer l'huile avec l'ail et le gingembre. Ajouter les crevettes et les laisser prendre couleur 2 min à feu moyen.

3. Ajouter les pétoncles et poursuivre la cuisson jusqu'à ce que les crevettes soient roses et que les pétoncles soient opaques. Retirer du feu.

4. Ajouter les agrumes, les oignons verts et les tomates. Remuer et assaisonner au goût. Servir dans un beau plat et garnir de persil.

Notes

Ne faites pas trop cuire les fruits de mer, puisque le jus des agrumes contribue également à les « cuire ».

Cette salade peut se servir tiède ou froide.

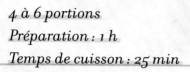

Aumonières des mers

4 à 6 portions
Préparation : 1 h
Temps de cuisson : 25 min

Fruits de mer et légumes

250 ml (1 tasse) de vin blanc

Un bouquet garni (1 branche de thym,
    1 feuille de laurier, persil, poireau)

15 ml (1 c. à soupe) de poivre en grains

225 g (½ lb) de pétoncles moyens,
    parés et coupés en morceaux

225 g (½ lb) de petites crevettes
    crues, décortiquées et déveinées

15 ml (1 c. à soupe) de beurre

15 ml (1 c. à soupe) d'huile

2 échalotes grises, émincées

1 petit oignon, émincé

450 g (1 lb) de champignons, émincés

15 ml (1 c. à soupe) de persil, émincé

Le jus d'un citron, fraîchement pressé

15 ml (1 c. à soupe) d'eau

Béchamel

30 ml (2 c. à soupe) de beurre

30 ml (2 c. à soupe) de farine

1 jaune d'œuf

125 ml (½ tasse) de crème 15 %

Sel et poivre

Crêpes

250 ml (1 tasse) de farine

375 ml (1 ½ tasse) de lait

1 œuf

Une pincée de sel

Poireaux en lanières

Fruits de mer et légumes

1. Porter à ébullition le vin, le bouquet garni et les grains de poivre. Ajouter les pétoncles et les crevettes. Laisser mijoter de 3 à 4 min, jusqu'à ce que les crevettes deviennent légèrement colorées. Égoutter en conservant 250 ml (1 tasse) de liquide. Réserver les fruits de mer.

2. Faire fondre le beurre et l'huile dans une poêle. Faire sauter les échalotes, les oignons, les champignons et le persil. Ajouter le jus de citron et l'eau. Laisser mijoter 10 min, égoutter et réserver.

Béchamel

1. Faire fondre le beurre dans une petite casserole et ajouter la farine. Lier à l'aide d'un fouet, puis ajouter le liquide de cuisson des fruits de mer réservé. Cuire en remuant jusqu'à épaississement.

2. Mélanger le jaune d'œuf et la crème dans un petit bol, puis verser dans la béchamel sans cesser de battre. Saler et poivrer au goût.

3. Ajouter les fruits de mer et les légumes. Réserver.

Crêpes

1. Dans un grand bol, mélanger tous les ingrédients qui composent les crêpes. Remuer à l'aide d'un fouet et ajouter de l'eau si la pâte est trop épaisse. Dans une poêle antiadhésive, faire cuire de 4 à 6 crêpes (selon l'épaisseur) d'environ 3 cm (8 po) de diamètre. Réserver.

2. Mettre les lanières de poireau dans une assiette convenant au micro-ondes et faire ramollir de 5 à 10 sec à allure maximale. Passer à l'eau froide pour arrêter la cuisson.

3. Au moment de servir, mettre une portion de béchamel chaude au centre d'une crêpe chaude. Refermer en formant une petite bourse et attacher avec une lanière de poireau. Au besoin, réchauffer au micro-ondes avant de servir.

Note

Si cette recette vous semble trop longue ou compliquée, adoptez la présentation traditionnelle dans une coquille Saint-Jacques. Servez de la purée de pomme de terre autour. Couvrez d'emmental et gratinez au four à 200 °C (400 °F) jusqu'à ce que le fromage soit fondu.

Chaque fois que je mange des moules, je pense à notre voyage en famille aux Îles-de-la-Madeleine au cours duquel Marie-Josée a été agressée par une moule violente qui s'est agrippée à elle. Demandez-lui de vous raconter l'histoire un jour...

Moules marinières

4 portions

Préparation : 20 min

Temps de cuisson : 20 min

2 lb (1 kg) de moules, nettoyées

250 ml (1 tasse) de vin blanc

250 ml (1 tasse) de bouillon de poulet

15 ml (1 c. à soupe) d'huile

1 gros oignon, haché finement

1 boîte de 796 ml (28 oz) de tomates italiennes, en dés

3 gousses d'ail, écrasées

15 ml (1 c. à soupe) d'assaisonnement à l'italienne

Sel et poivre

60 ml (¼ tasse) de basilic frais, haché

60 ml (¼ tasse) de persil frais, haché

1 bouquet de fines herbes fraîches

1. Porter à ébullition le vin, le bouillon et le poivre dans une grande casserole. Ajouter les moules, couvrir et laisser bouillir environ 5 min, jusqu'à ce qu'elles s'ouvrent. Prendre soin de secouer la casserole de temps à autre.

2. Retirer les moules du bouillon et réserver. Passer le bouillon au tamis et réserver.

3. Faire revenir les oignons dans l'huile. Ajouter les tomates, l'ail, l'assaisonnement à l'italienne et 250 ml (1 tasse) du bouillon réservé. Saler et poivrer au goût. Laisser mijoter 15 min.

4. Retirer du feu. Ajouter le basilic et le persil. Répartir les moules dans les bols individuels et napper de sauce. Garnir d'un bouquet de fines herbes fraîches et servir.

Note

Ne mangez pas les moules qui ne sont pas ouvertes après la cuisson.

Moules à la dijonnaise

4 portions

Préparation : 20 min

Temps de cuisson : 20 min

2 lb (1 kg) de moules, nettoyées

250 ml (1 tasse) de vin blanc

250 ml (1 tasse) de bouillon de poulet

Poivre

500 ml (2 tasses) de crème 35 %

60 ml (¼ tasse) ou plus de moutarde de Dijon ou de Meaux

1. Cuire les moules en suivant l'étape 1 de la recette précédente. Réserver.

2. Dans une casserole, chauffer la crème et la moutarde et laisser mijoter jusqu'à épaississement. Poivrer et verser sur les moules servies dans des bols individuels.

Légumes

ET

plats végétariens

4 portions

Préparation : 5 min

Temps de cuisson : 10 min

12 asperges fraîches

30 ml (2 c. à soupe) de beurre

Sel et poivre

Note

Vous pouvez opter pour la cuisson à la vapeur afin de mieux conserver la valeur nutritive des légumes.

4 portions

Préparation : 5 min

Temps de cuisson : 5 min

12 carottes avec leurs fanes

30 ml (2 c. à soupe) de beurre

45 ml (3 c. à soupe) de sirop d'érable

Sel et poivre

Note

Servez les légumes encore croquants afin qu'ils aient plus de saveur.

Asperges au beurre

1. Cuire les asperges dans l'eau bouillante salée jusqu'à ce qu'elles soient al dente, c'est-à-dire un peu fermes.

2. Plonger les asperges immédiatement dans l'eau glacée pour arrêter la cuisson. Couvrir et réserver au réfrigérateur jusqu'au moment de servir.

3. Faire fondre le beurre dans une poêle assez grande. Réchauffer les asperges en les retournant dans la poêle. Assaisonner et servir comme mets d'accompagnement.

Carottes glacées à l'érable

1. Éplucher les carottes en conservant 1,25 cm (½ po) de leurs fanes vertes.

2. Cuire les carottes dans l'eau bouillante salée environ 10 min, jusqu'à ce qu'elles soient al dente, c'est-à-dire un peu fermes.

3. Plonger les carottes immédiatement dans l'eau glacée pour arrêter la cuisson. Couvrir et réserver au réfrigérateur jusqu'au moment de servir.

4. Faire fondre le beurre dans une poêle assez grande. Ajouter le sirop d'érable et retourner les carottes dans la poêle en les enrobant complètement. Assaisonner et servir comme mets d'accompagnement.

Rosalie excelle en danse, mais elle est aussi une dessinatrice de talent. C'est elle qui a créé l'illustration de la Maison verte qui figure dans ce livre. Merci de ta fraîcheur, ma belle Rosalie.

Hélène, la diététiste de la famille, apprécie cette recette de frites qui respecte ses exigences en matière de santé!

Pommes de terre au boursin

4 à 6 portions

Préparation : 20 min

Temps de cuisson : 1 h

1 gousse d'ail, coupée en deux

375 ml (1 ½ tasse) de crème 15 %

1 fromage boursin de 148 g (5 oz)

1,4 kg (3 lb) de pommes de terre, pelées et coupées en tranches

1 gros oignon, émincé

Sel et poivre

30 ml (2 c. à soupe) de persil frais, haché

1. Préchauffer le four à 200 °C (400 °F).

2. Frotter une cocotte de 1,5 litre (6 tasses) avec l'ail.

3. Dans une casserole, chauffer la crème sans la faire bouillir. Ajouter le fromage et laisser fondre.

4. Disposer les pommes de terre dans la cocotte en alternant avec les oignons. Saler et poivrer entre les rangs.

5. Verser la sauce sur les pommes de terre. Couvrir d'un papier d'aluminium et cuire environ 50 min, jusqu'à ce que les pommes de terre soient tendres.

6. Retirer le papier d'aluminium 10 min avant la fin de la cuisson.

7. Garnir de persil et servir comme plat d'accompagnement.

Notes

Ce plat accompagne bien le poisson.

Vous pouvez préparer cette recette d'avance jusqu'à l'étape 5.

Frites de patates douces

4 portions

Préparation : 10 min

Temps de cuisson : 20 min

3 grosses patates douces, épluchées

60 ml (¼ tasse) d'huile d'olive

2 branches de romarin, effeuillées

Fleur de sel

1. Préchauffer le four à 230 °C (450 °F).

2. Couper les patates douces en quartiers sur la longueur.

3. Mettre les patates dans un bol. Ajouter l'huile et le romarin et bien mélanger.

4. Déposer les patates sur une seule couche sur une tôle à biscuits et cuire au four de 15 à 20 min. Éviter de trop cuire afin que les frites ne ramollissent pas.

5. Saupoudrer de fleur de sel et servir comme légumes d'accompagnement.

Note

Ces frites sont délicieuses avec un steak cuit au barbecue.

Chou entier sur le barbecue

4 à 6 portions

Préparation : 20 min

Temps de cuisson : 1 h 05

1 chou vert de 1 kg (2 lb) environ

15 ml (1 c. à soupe) de beurre

1 tranche de pancetta de 1,25 cm (½ po), en cubes fins

1 oignon, haché finement

125 ml (½ tasse) de sauce barbecue du commerce

30 ml (2 c. à soupe) de beurre, en cubes

Beurre fondu ou huile d'olive

Note

Vous pouvez aussi faire cuire le chou au four à 190 °C (375 °F) environ 1 h 30, jusqu'à ce qu'il soit tendre.

1. Enlever et jeter le trognon du chou. Faire une cavité de 12 cm (4 ½ po) de diamètre et de 8 cm (3 po) de profondeur au centre. Hacher le chou qui a ainsi été prélevé et réserver.

2. Faite tenir le chou entier, cavité vers le haut, dans un anneau fait de papier d'aluminium roulé en boudin.

3. Dans une poêle, faire revenir la pancetta dans 15 ml (1 c. à soupe) de beurre. Ajouter les oignons et le chou haché. Cuire de 3 à 5 min, jusqu'à ce qu'ils commencent à brunir.

4. Retirer du feu et ajouter la sauce barbecue. Remplir la cavité du chou avec cette préparation. Répartir les cubes de beurre sur le dessus.

5. Préparer le barbecue pour une cuisson indirecte à feu moyen (ouvrir le feu à gauche et mettre le chou à droite sur le gril). Mettre le chou sur le gril en le faisant tenir sur l'anneau d'aluminium. Fermer le couvercle et cuire environ 1 h, jusqu'à ce qu'il soit tendre. Badigeonner fréquemment de beurre fondu ou d'huile d'olive en cours de cuisson. Les premières feuilles seront calcinées, mais le centre sera succulent.

J'ai de beaux souvenirs de veillées avec ma belle-famille. Tous sont généreux et savent profiter des bonnes choses. Leur joie de vivre est très précieuse pour moi.

L'été, je cuisine presque toujours au barbecue parce que c'est tellement plus simple. J'adore les recettes comme celle-ci.

6 portions

Préparation : 10 min

Temps de cuisson : 10 à 30 min

Oignons

125 ml (½ tasse) d'huile d'olive

60 ml (¼ tasse) de vinaigre balsamique

3 oignons moyens blancs, jaunes ou rouges, coupés en deux

Sel et poivre

Papillotes de légumes

12 pommes de terre grelots, coupées en deux

6 gousses d'ail, non pelées

6 petits oignons, coupés en deux

1 poivron rouge, en lanières

1 poivron jaune, en lanières

1 poivron vert, en lanières

6 c. à soupe d'huile d'olive

6 feuilles de sauge fraîche

6 branches de thym

6 branches d'estragon

Sel et poivre

Notes

Optez pour la cuisson indirecte afin d'éviter la carbonisation.

Badigeonnez les légumes avec la marinade restante en cours de cuisson.

Oignons

1. Mélanger l'huile et le vinaigre dans un bol. Laisser mariner les oignons à température ambiante pendant 2 h en les retournant de temps à autre. Enfiler les oignons sur une broche afin de pouvoir les manipuler plus facilement sur le gril.

2. Cuire au barbecue à cuisson indirecte (allumer le feu d'un côté et cuire les oignons de l'autre) pendant 10 min ou sur une plaque à pâtisserie au four à 200 °C (400 °F) pendant 30 min. Saler et poivrer au goût.

Papillotes de légumes

1. Étendre 6 carrés de feuilles d'aluminium double épaisseur. Répartir les pommes de terre, l'ail, les oignons, les poivrons et l'huile sur chaque carré. Ajouter les fines herbes, saler et poivrer.

3. Fermer hermétiquement chaque papillote. Cuire au barbecue à feu moyen pendant 20 min ou au four à 200 °C (400 °F) environ 30 min, jusqu'à ce que les légumes soient cuits.

4. Percer les papillotes si elles gonflent trop. Servir comme mets d'accompagnement. Ouvrir les papillotes avec précaution puisque de la vapeur chaude s'en échappera.

Caponata

4 à 6 portions

Préparation : 20 min

Temps de cuisson : 1 h

2 aubergines, en cubes

2 gros oignons rouges, en gros cubes

4 branches de céleri, en morceaux

12 tomates italiennes, en quartiers

4 poivrons de couleurs variées, en morceaux

250 ml (1 tasse) d'olives vertes, dénoyautées

250 ml (1 tasse) d'olives noires, dénoyautées

45 ml (3 c. à soupe) de câpres

125 ml (½ tasse) d'huile d'olive

60 ml (¼ tasse) de vinaigre balsamique

15 ml (1 c. à soupe) de sucre

Sel et poivre

1. Préchauffer le four à 200 °C (400 °F).

2. Mettre tous les légumes dans un grand bol. Bien mélanger avec l'huile, le vinaigre et le sucre.

3. Étaler les légumes en une seule couche sur une plaque à pâtisserie. Saler et poivrer.

4. Cuire 1 h en remuant de temps à autre.

Note

Servez la caponata pour accompagner des plats de viande ou pour napper des pâtes. Saupoudrez-la de parmesan fraîchement râpé et elle sera encore plus délicieuse !

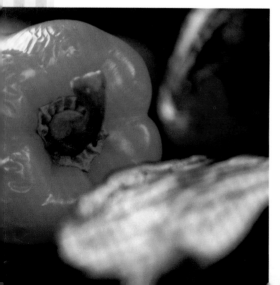

Nous nous Taqyinons beaucoup dans la famille et j'avoue que je suis la cible préférée de mes belles-filles et de mon gendre. Ils parodient des chansons populaires en se moquant un peu de mes exigences et de mes Travers. Mais ne vous inquiétez pas, j'ai eu de belles revanches.

Maintenant que nous avons des alpagas, j'offrirai des bas, des Tuques et des foulards Tricotés aux enfants.

Chou-fleur gratiné au curcuma

6 portions

Préparation : 25 min

Temps de cuisson : 35 min

1 chou-fleur, défait en bouquets

30 ml (2 c. à soupe) de beurre

30 ml (2 c. à soupe) de farine

310 ml (1 ¼ tasse) de lait

1 ml (¼ c. à thé) de muscade moulue

5 ml (1 c. à thé) de curcuma

Sel et poivre

80 ml (⅓ tasse) de gruyère, emmental, mozzarella ou cheddar fort, râpé

Note

Je prépare souvent ma béchamel au micro-ondes. Je fais fondre le beurre avec la farine 15 sec, j'ajoute le lait et je fais cuire le tout 8 min à allure maximale en remuant deux fois à l'aide d'un fouet en cours de cuisson. On sale et on poivre au goût. Cette méthode est infaillible.

1. Préchauffer le four à 220 °C (425 °F).

2. Cuire le chou-fleur dans l'eau bouillante salée ou dans une marguerite jusqu'à ce qu'il soit tendre. Égoutter et réserver.

3. Préparer une béchamel en faisant fondre le beurre à feu doux dans une petite casserole. Ajouter la farine et bien mélanger à l'aide d'un fouet. Ajouter le lait en remuant régulièrement. Ajouter la muscade et le curcuma. Saler et poivrer.

4. Mettre le chou-fleur dans un plat de cuisson. Napper de sauce et saupoudrer de fromage. Cuire au four 15 min et servir immédiatement.

6 portions

Préparation : 30 min

Temps de cuisson : 25 min

125 ml (½ tasse) d'huile d'olive

60 ml (¼ tasse) de vinaigre
balsamique

1 aubergine, coupée en 12 tranches
de 1,25 cm (½ po) d'épaisseur

2 courgettes, en fines tranches

3 poivrons rouges, en quartiers

6 champignons portobellos sans
le pied

18 asperges vertes, blanchies
(technique page 126)

6 champignons shiitake

Fleur de sel

Notes

*Voici un accompagnement de
viande spectaculaire pour vos
repas gastronomiques.*

Osez la hauteur.

Millefeuilles de légumes grillés

1. Mélanger l'huile et le vinaigre dans un petit bol.

2. Préchauffer le four à 230 °C (450 °F).

3. Ranger tous les légumes côte à côte sur une grande plaque à pâtisserie. Badigeonner d'huile et de vinaigre et mettre au four 10 min. Retourner les légumes, badigeonner de nouveau et remettre au four environ 10 min, jusqu'à ce qu'ils soient tendres. On peut aussi faire cuire les légumes sur le barbecue.

4. Sortir les légumes du four et laisser refroidir suffisamment pour pouvoir les manipuler sans se brûler.

5. Pour chaque millefeuille, monter les légumes dans l'ordre suivant : 1 portobello, quelques tranches de courgette, 1 tranche d'aubergine, 2 morceaux de poivron, 3 asperges, 1 tranche d'aubergine et 1 shiitake.

6. Réchauffer quelques minutes au four, saupoudrer de fleur de sel et servir.

Profitons de l'abondance aye nous voyons dans les marchés pour manger des légumes crus ou cuits aye l'on apprêtera de mille et une façons. C'est le temps idéal pour en congeler en prévision de la saison froide.

Ce sont souvent mes petites-filles, aujourd'hui adolescentes, qui préparent la Tarte aux Tomates. Elles adorent ce plat simple et savoureux. Elles vont chercher les Tomates et le basilic au potager et s'amusent à cuisiner ce mets que nous dégustons Tous avec enthousiasme. Je suis fière d'avoir pu leur Transmettre ma passion pour la cuisine.

Tarte aux tomates

4 à 6 portions

Préparation : 30 min

Temps de cuisson : 30 min

450 g (1 lb) de pâte feuilletée, décongelée

Moutarde de Dijon

Environ 500 ml (2 tasses) de mozzarella ou de vieux cheddar, râpé

6 à 8 tomates, en fines tranches

15 ml (1 c. à soupe) d'herbes de Provence

Sel et poivre

5 à 6 feuilles de basilic frais, ciselées

1. Préchauffer le four à 220 °C (425 °F).

2. Abaisser la pâte pour couvrir une plaque à pâtisserie de 40 x 30 cm (16 x 12 po). Piquer la pâte à l'aide d'une fourchette et cuire de 12 à 15 min, jusqu'à ce qu'elle soit dorée. Réserver.

3. Badigeonner la croûte de moutarde de Dijon et couvrir avec le fromage.

4. Couvrir avec les tranches de tomate et saupoudrer d'herbes de Provence, de sel et de poivre.

5. Cuire au four 25 min à 120 °C (250 °F). Garnir de basilic et servir.

Astuces

Vous pouvez préparer la croûte la veille en la couvrant bien une fois qu'elle est complètement refroidie.

Si vous souhaitez gagner du temps, n'hésitez pas à utiliser de la pâte feuilletée vendue dans le commerce. Certaines boulangeries et pâtisseries en font une excellente. On en trouve aussi dans la plupart des épiceries.

Découpez la tarte en bouchées pour vos buffets et vos réceptions. Pour vos repas de tous les jours, servez un gros morceau de tarte avec une salade et un bon verre de vin.

Chili végétarien

4 à 6 portions

Préparation : 30 min

Temps de cuisson : 50 min

30 ml (2 c. à soupe) d'huile d'olive

1 gros oignon, en dés

2 gousses d'ail, écrasées

2 poivrons jaunes, en gros dés

2 poivrons rouges, en gros dés

2 branches de céleri, en dés

1 courgette, en rondelles

1 boîte de 796 ml (28 oz) de tomates italiennes, en dés

1 boîte de 398 ml (14 oz) de sauce tomate

15 ml (1 c. à soupe) de chili en poudre

15 ml (1 c. à soupe) de cumin moulu

15 ml (1 c. à soupe) de coriandre moulue

60 ml (¼ tasse) de cacao en poudre

1 boîte de 540 ml (19 oz) de haricots rouges, rincés et égouttés

1 boîte de 540 ml (19 oz) de haricots noirs, rincés et égouttés

Crème sure

Fromage monterey jack

1. Chauffer l'huile dans une casserole. Faire sauter les oignons, l'ail, les poivrons, le céleri et les courgettes jusqu'à ce qu'ils ramollissent.

2. Ajouter les tomates, la sauce tomate et les assaisonnements. Cuire 30 min à feu doux.

3. Ajouter les haricots et cuire 10 min de plus.

4. Garnir chaque portion avec une cuillerée de crème sure et de fromage au moment de servir.

Note

Doublez la recette et congelez des portions. Vous aurez ainsi un repas consistant que vous pourrez déguster au travail.

Chez mon grand-père Charbonneau,
il y avait toujours une soupe fumante
sur le poêle à bois. Au lieu d'inviter
les gens à venir prendre un verre,
il leur disait : « Viens donc manger
une soupe ! »

Desserts ET boissons

Bagatelle aux framboises

8 portions

Préparation : 30 min

1 boîte de 170 g (6 oz) de gélatine aux framboises (de type Jello)

500 ml (2 tasses) d'eau bouillante

625 ml (2 ½ tasses) de framboises congelées (1 sac de 600 g)

375 ml (1 ½ tasse) de crème 35 %, fouettée

1 gâteau des anges de 284 g (10 oz) du du commerce, coupé en gros morceaux

Framboises fraîches

1. Dans un grand bol en verre, dissoudre la gélatine dans l'eau bouillante.

2. Ajouter les framboises. Il est important de les utiliser congelées afin que la gélatine prenne plus rapidement.

3. Lorsque la gélatine commence à prendre, ajouter la crème fouettée et remuer très doucement à l'aide d'une spatule.

4. Incorporer les morceaux de gâteau à la préparation aux framboises. Réfrigérer 2 h avant de servir. Garnir de framboises fraîches.

Barres tendres

12 à 16 barres

Préparation : 30 min

Temps de cuisson : 30 min

500 ml (2 tasses) de flocons d'avoine

500 ml (2 tasses) de riz croustillant (Rice Krispies)

250 ml (1 tasse) de canneberges séchées

125 ml (½ tasse) d'abricots séchés, coupés

250 ml (1 tasse) de grains de chocolat

250 ml (1 tasse) de germe de blé

2 œufs

180 ml (¾ tasse) de sirop d'érable

60 ml (¼ tasse) de beurre, fondu

125 ml (½ tasse) de cassonade

180 ml (¾ tasse) de farine

15 ml (1 c. à soupe) de levure chimique (poudre à pâte)

Sel

1. Préchauffer le four à 180 °C (350 °F).

2. Dans un grand bol, mélanger les flocons d'avoine, le riz croustillant, les canneberges, les abricots, le chocolat et le germe de blé.

3. Dans un autre bol, battre les œufs avec le sirop, le beurre et la cassonade. Mélanger avec les ingrédients du premier bol.

4. Tamiser la farine avec la levure chimique et le sel dans un bol. Mélanger avec le contenu de l'autre bol.

5. Étendre la préparation dans un plat beurré de 2 cm (¾ po) d'épaisseur. Cuire au four 20 min. Laisser refroidir avant de découper en barres.

Pendant l'été, rien de
Tel que les fraises et
les framboises servies
en coupe. Tous les
apprécient !

Quand ils étaient petits, mes enfants adoraient découper eux-mêmes les biscuits. Ils les coupaient souvent trop gros ou bien les mangeaient avant la cuisson. Le plus beau, c'est qu'ils s'en rappellent encore.

Biscuits aux fruits et aux amandes

24 biscuits

Préparation : 30 min

Temps de cuisson : 10 min

375 ml (1 ½ tasse) de farine

2 ml (½ c. à thé) de levure chimique (poudre à pâte)

1 ml (¼ c. à thé) de bicarbonate de soude

Une pincée de sel

60 ml (¼ tasse) de beurre

60 ml (¼ tasse) de graisse végétale

2 ml (½ c. à thé) d'essence de vanille ou de citron

60 ml (¼ tasse) de sucre

80 ml (⅓ tasse) de cassonade

1 œuf

80 ml (⅓ tasse) de cerises rouges confites, hachées

60 ml (¼ tasse) de cerises vertes confites, hachées

60 ml (¼ tasse) d'amandes en bâtonnets

1. Tamiser la farine, la levure chimique, le bicarbonate de soude et le sel dans un grand bol.

2. À l'aide du batteur électrique, bien mélanger le beurre, la graisse végétale et l'essence dans un autre bol. Ajouter le sucre, la cassonade et l'œuf. Battre jusqu'à consistance lisse. Ajouter les cerises et les amandes et bien mélanger.

3. Incorporer les ingrédients secs aux ingrédients humides jusqu'à consistance lisse.

4. Former 2 rouleaux de 4 cm (1 ½ po) de diamètre. Envelopper dans du papier ciré et réfrigérer de 2 à 3 h.

5. Préchauffer le four à 190 °C (375 °F).

6. Découper les rouleaux en rondelles de 6 mm (¼ po). Cuire de 8 à 10 min sur une tôle à biscuits. Laisser refroidir complètement.

Notes

La pâte se conserve longtemps au réfrigérateur et on peut aussi la congeler.

Faites toujours cuire les biscuits dans la partie supérieure du four en évitant de prolonger inutilement la cuisson.

Biscuits aux flocons d'avoine

24 biscuits

Préparation : 30 min

Temps de cuisson : 10 min

125 ml (½ tasse) de beurre

180 ml (¾ tasse) de cassonade

1 œuf, battu

250 ml (1 tasse) de farine tout usage

15 ml (1 c. à soupe) de levure chimique (poudre à pâte)

Une pincée de sel

310 ml (1 ¼ tasse) de flocons d'avoine

80 ml (⅓ tasse) de grains de chocolat

1. Préchauffer le four à 180 °C (350 °F).

2. Dans un grand bol, défaire le beurre avec la cassonade. Ajouter l'œuf et bien mélanger.

3. Tamiser la farine, la levure chimique et le sel dans un autre bol. Incorporer aux ingrédients du premier bol.

4. Ajouter les flocons d'avoine et les grains de chocolat. Bien mélanger.

5. Déposer par cuillerée sur une tôle à biscuits antiadhésive ou beurrée.

6. Cuire de 8 à 10 min, jusqu'à ce que les biscuits soient dorés.

7. Décoller les biscuits de la tôle tandis qu'ils sont encore chauds. Laisser refroidir complètement et conserver dans un contenant hermétique.

Galettes à la mélasse

24 galettes

Préparation : 30 min

Temps de cuisson : 12 min

250 ml (1 tasse) de lait

10 ml (2 c. à thé) de vinaigre

250 ml (1 tasse) de graisse végétale

2 œufs, battus

250 ml (1 tasse) de cassonade

250 ml (1 tasse) de mélasse

1,25 litre (5 tasses) de farine tout usage

10 ml (2 c. à thé) de bicarbonate de soude

15 ml (1 c. à soupe) de levure chimique (poudre à pâte)

2 ml (½ c. à thé) de sel

10 ml (2 c. à thé) de gingembre moulu

1. Préchauffer le four à 180 °C (350 °F).

2. Mélanger le lait et le vinaigre. Réserver.

3. Dans un grand bol, à l'aide du batteur électrique, battre la graisse végétale en crème avec les œufs, la cassonade et la mélasse.

4. Tamiser la farine avec le bicarbonate de soude, la levure chimique, le sel et le gingembre. Ajouter au premier mélange en alternant avec le lait. Déposer la pâte par petites cuillerées sur une tôle à biscuits graissée. Cuire au four de 10 à 12 min.

Sage, Marie-Josée? Certainement pas le jour où elle a déversé un pot de farine sur le sofa et a invité son frère Pierre à faire du trampoline dans ce gros nuage blanc!

Les desserts préparés à l'avance nous permettent de passer du bon temps en compagnie des nôtres sans devoir rester trop longtemps dans la cuisine!

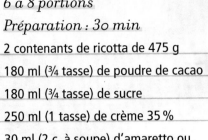

6 à 8 portions

Préparation : 30 min

2 contenants de ricotta de 475 g

180 ml (¾ tasse) de poudre de cacao

180 ml (¾ tasse) de sucre

250 ml (1 tasse) de crème 35 %

30 ml (2 c. à soupe) d'amaretto ou
de café fort dissout dans 30 ml
(2 c. à soupe) d'eau bouillante

12 biscuits à la cuillère italiens
(doigts de dame), coupés en deux

Petits fruits frais

Notes

J'aime décorer les desserts avec de jolis rubans.

Utilisez une poudre de cacao de qualité pour jouir d'un goût plus délicat.

Utilisez des plats sur pieds pour une présentation plus spectaculaire.

Charlotte au chocolat à l'italienne

1. À l'aide du robot de cuisine, mélanger le fromage, le cacao et le sucre jusqu'à consistance lisse et onctueuse. Réserver.

2. Fouetter la crème à l'aide du batteur électrique. Incorporer la préparation au fromage ainsi que l'amaretto. Mélanger en pliant doucement.

3. Dans un moule à charnière de 18 cm (7 po) de diamètre, mettre un peu de préparation au chocolat. Disposer les biscuits à la verticale tout autour du moule en les faisant tenir avec la préparation et en les appuyant contre la paroi du moule.

4. Remplir avec le reste de la préparation au chocolat. Couvrir de pellicule plastique et réfrigérer au moins 4 h avant de servir.

5. Garnir le dessus de petits fruits frais.

6 pots de 250 ml (1 tasse)

Préparation : 20 min

Temps de cuisson : 20 min

1 kg (2 lb) de pommes Cortland,
   pelées et coupées en quartiers

60 ml (¼ tasse) d'eau

60 ml (¼ tasse) de sucre

1 ml (¼ c. à thé) de muscade moulue

1 ml (¼ c. à thé) de cannelle moulue

Compote de pommes

1. Porter l'eau à ébullition à feu moyen-vif. Ajouter les pommes, couvrir et cuire 10 min.

2. Ajouter le sucre et les épices et remuer légèrement jusqu'à dissolution du sucre.

3. Verser dans des pots stérilisés et conserver au réfrigérateur ou au congélateur.

---

6 pots de 250 ml (1 tasse)

Préparation : 20 min

Temps de cuisson : 20 min

1 litre (4 tasses) de fraises fraîches
   ou congelées, équeutées

1 litre (4 tasses) de rhubarbe fraîche
   ou congelée, en morceaux

125 ml (½ tasse) de sucre

60 ml (¼ tasse) de gingembre frais,
   haché finement

30 ml (2 c. à soupe) de rhum

5 ml (1 c. à thé) de vanille

Compote de fraises et de rhubarbe

1. Cuire les fraises et la rhubarbe 10 min à feu moyen.

2. Ajouter le sucre et le gingembre et cuire 10 min de plus. Ajouter le rhum et la vanille.

3. Verser dans des pots stérilisés et conserver au réfrigérateur.

Astuce

Amusez-vous en faisant vos compotes entre amis. Un beau projet pour le week-end !

Il faut profiter de l'abondance des fruits en saison et faire des réserves. Je mets tout le monde à contribution et nous équeutons nos fraises en parlant de choses et d'autres.

Comme j'ai 15 poules très actives, je ne refuse jamais de découvrir ou de faire une bonne recette à base d'œufs. Aucun visiteur ne repart de chez moi sans sa douzaine d'œufs frais du jour.

Crème caramel

6 portions
Préparation : 20 min
Temps de cuisson : 50 min

Caramel

250 ml (1 tasse) de sucre

125 ml (½ tasse) d'eau

Crème

750 ml (3 tasses) de lait

3 jaunes d'œufs

4 œufs

125 ml (½ tasse) de sucre

5 ml (1 c. à thé) de vanille

Note

Vous pouvez servir la crème caramel en portions individuelles. Procédez exactement de la même façon, mais utilisez des petits ramequins de 125 ml (½ tasse). Diminuez le temps de cuisson de 10 min environ.

Caramel

1. Préchauffer le four à 160 °C (325 °F).

2. Dans une petite casserole, faire fondre le sucre dans l'eau et cuire jusqu'à caramélisation, c'est-à-dire jusqu'à ce que le sucre soit d'un beau brun doré.

3. Verser le caramel chaud dans un moule de 20 x 20 x 5 cm (8 x 8 x 2 po) en enduisant bien le fond et les parois. Réserver.

Crème

1. Chauffer le lait dans une casserole sans faire bouillir.

2. Pendant ce temps, battre les jaunes d'œufs, les œufs et le sucre dans un bol jusqu'à ce que le sucre soit dissous et que la consistance soit épaisse. Ajouter le lait chaud très lentement en remuant sans cesse. Ajouter la vanille et verser dans le moule.

3. Mettre le moule dans un grand plat de cuisson et verser de l'eau bouillante jusqu'à la mi-hauteur pour une cuisson au bain-marie.

4. Cuire au four de 35 à 40 min, jusqu'à ce qu'un pic inséré près de la paroi du moule ressorte propre. Le centre raffermira au réfrigérateur.

5. Retirer le moule du bain-marie et réfrigérer au moins 4 h avant de démouler.

Crème brûlée à l'érable

6 portions

Préparation : 25 min

Temps de cuisson : 40 min

500 ml (2 tasses) de crème 35 %

125 ml (½ tasse) de sirop d'érable

6 jaunes d'œufs

60 ml (¼ tasse) de sucre

5 ml (1 c. à thé) de vanille

90 ml (6 c. à soupe) de sucre d'érable ou de cassonade

Astuce

J'utilise souvent le chalumeau pour caraméliser mes crèmes. J'utilise alors de petits ramequins parce que ce dessert est plutôt riche.

1. Préchauffer le four à 160 °C (325 °F).

2. Dans une casserole, réchauffer la crème et le sirop d'érable sans faire bouillir. Réserver.

3. Dans un bol, à l'aide du batteur électrique, fouetter les jaunes d'œufs, le sucre et la vanille jusqu'à ce que la préparation soit pâle et le sucre dissout. Verser la crème chaude en remuant sans cesse et en réchauffant doucement.

4. Verser la préparation dans six ramequins de 125 ml (½ tasse). Mettre les ramequins dans un grand plat de cuisson et verser de l'eau bouillante jusqu'à mi-hauteur pour une cuisson au bain-marie.

5. Cuire au four environ 30 min, jusqu'à ce qu'un pic inséré près de la paroi d'un ramequin ressorte propre.

6. Retirer les ramequins du bain-marie et laisser refroidir à température ambiante. Couvrir de pellicule plastique et réfrigérer.

7. Au moment de servir, allumer le four à *broil* et placer la grille très près de l'élément de grillage. Mettre 15 ml (1 c. à soupe) de sucre d'érable ou de cassonade dans chaque ramequin. Ranger les ramequins sur une plaque à pâtisserie et passer au four jusqu'à ce que la crème se caramélise. Retirer du four immédiatement. On peut aussi utiliser un chalumeau pour caraméliser.

J'admire René qui est un excellent cuisinier et un organisateur de réceptions exceptionnel. Les mots démesure et générosité ont probablement été créés pour lui.

OLIVIER
CAMILLE
ROSALIE
VIRGINIE
SOPHIE

EMILE
MICHELLE

Un de mes grands plaisirs est d'observer l'évolution de la personnalité de mes petits-enfants Olivier, Camille, Rosalie, Virginie, Sophie, Émile et Michelle. Je suis très fière d'eux.

Gâteau au fromage

8 à 10 portions
Préparation : 25 min
Temps de cuisson : 2 h

125 ml (½ tasse) de chapelure de biscuits Graham

2 contenants de ricotta de 475 g

310 ml (1 ¼ tasse) de sucre

5 jaunes d'œufs

Le zeste d'un citron

5 blancs d'œufs

125 ml (½ tasse) de farine à gâteau, tamisée

Fruits frais au goût (fraises, kiwis, pêches, etc.)

Astuce

Servez ce mets avec un coulis de fraises composé de 500 ml (2 tasses) de fraises et de 60 ml (¼ tasse) de sucre que vous passerez au robot de cuisine.

1. Préchauffer le four à 180 °C (350 °F).

2. Beurrer un moule rond de 23 cm (9 po) à fond amovible. Couvrir le fond avec la chapelure de biscuits.

3. À l'aide du batteur électrique, mélanger la ricotta, la moitié du sucre, les jaunes d'œufs et le zeste de citron jusqu'à consistance lisse. Réserver.

4. Battre les blancs d'œufs en neige et ajouter le reste du sucre. Incorporer délicatement à la première préparation en alternant avec la farine.

5. Verser dans le moule et cuire 1 h au four.

6. Éteindre le four et laisser reposer le gâteau 1 h de plus.

7. Sortir le gâteau du four, laisser refroidir complètement et garnir de fruits frais.

Gâteau aux fruits

10 à 12 portions
Préparation : 40 min
Temps de cuisson : 2 h

- 180 ml (¾ tasse) de cerises confites rouges
- 180 ml (¾ tasse) de cerises confites vertes
- 180 ml (¾ tasse) de fruits confits mélangés
- 60 ml (¼ tasse) de raisins secs
- 125 ml (½ tasse) de rhum ou autre autre liqueur au goût
- 125 ml (½ tasse) de jus d'orange, fraîchement pressé
- 180 ml (¾ tasse) de beurre
- 250 ml (1 tasse) de sucre
- 4 œufs
- 625 ml (2 ½ tasses) de farine
- 2 ml (½ c. à thé) de levure chimique (poudre à pâte)
- Une pincée de sel
- 60 ml (¼ tasse) d'amandes mondées
- 60 ml (¼ tasse) de noix variées non salées, hachées

1. Faire macérer les cerises, les fruits confits et les raisins secs dans le rhum et le jus d'orange de 4 à 24 h à température ambiante.

2. Préchauffer le four à 150 °C (300 °F).

3. Défaire le beurre en crème et ajouter le sucre peu à peu. Ajouter les œufs, un à la fois, en battant après chaque addition. Réserver.

4. Tamiser la farine avec la levure chimique et le sel. Incorporer les fruits macérés, les amandes et les noix. Verser dans le bol contenant les œufs en remuant.

5. Tapisser le fond d'un moule à pain de feuilles de papier d'aluminium. Tapisser ensuite le fond et les côtés du moule avec une feuille de papier ciré beurré. Verser la préparation dans le moule.

6. Mettre le moule dans une lèchefrite et verser de l'eau chaude jusqu'à mi-hauteur. Cuire pendant 2 h.

7. Laisser refroidir avant de démouler et garder le gâteau dans ses papiers de cuisson. Couvrir de papier d'aluminium supplémentaire au besoin. Conserver au frais.

Astuces

Utilisez vos fonds de liqueurs fines pour faire macérer les fruits confits.

Enveloppez minutieusement le gâteau refroidi dans du papier ciré et du papier d'aluminium avant de le congeler. La décongélation le rendra tendre et humide. C'est le secret…

Pour une conservation plus longue, je place le gâteau au frais dans mon garde-manger ou au réfrigérateur.

J'ai souvent fait enrager mes belles-filles malgré moi à cause de ce gâteau. Mes fils disent aye celui ay'elles font ne goûte pas comme celui de leur mère. J'avoue aye je change souvent les alcools et les fruits aye j'y mets.

J'ai une oie qui m'a adoptée depuis sa naissance. Elle me suit partout et se laisse caresser sans fuir. Je me surprends même à discuter parfois avec elle...

Gâteau des anges

8 à 10 portions

Préparation : 30 min

Temps de cuisson : 1 h

8 blancs d'œufs (gros)

5 ml (1 c. à thé) de sel

5 ml (1 c. à thé) de crème de tartre

310 ml (1 ¼ tasse) de sucre

2 ml (½ c. à thé) d'essence d'amande

250 ml (1 tasse) de farine à gâteau

Glace mousseuse

2 blancs d'œufs

80 ml (⅓ tasse) d'eau froide

5 ml (1 c. à thé) de sel

375 ml (1 ½ tasse) de sucre

5 ml (1 c. à thé) de crème de tartre

5 ml (1 c. à thé) d'essence d'amande

Note

Coupez le gâteau des anges à l'aide de deux fourchettes pour éviter de l'écraser.

1. Préchauffer le four à 160 °C (325 °F).

2. Battre les blancs d'œufs avec le sel jusqu'à ce qu'ils soient mousseux.

3. Ajouter la crème de tartre sans cesser de battre.

4. Ajouter 30 ml (2 c. à soupe) de sucre à la fois jusqu'à ce que les blancs d'œufs soient fermes.

5. Ajouter l'essence d'amande. Tamiser la farine au-dessus des blancs d'œufs en pliant délicatement avec une spatule.

6. Verser la pâte dans un moule à cheminée non beurré de 25 cm (10 po) de diamètre. Cuire au four pendant 1 h.

7. Au sortir du four, renverser le moule. Laisser refroidir avant de démouler.

8. Couvrir le gâteau de glace mousseuse.

Glace mousseuse

1. Dans la partie supérieure d'un bain-marie, mélanger tous les ingrédients, sauf l'essence d'amande. L'eau qui se trouve dans la partie inférieure doit être frémissante sans bouillir à gros bouillons.

2. Battre à l'aide du batteur électrique environ 7 min, jusqu'à ce que le mélange soit ferme et forme des pics. Retirer du feu et ajouter l'essence d'amande.

3. Glacer rapidement le gâteau des anges. Garnir de fleurs comestibles au goût.

Gâteau léger au citron

8 à 10 portions

Préparation : 30 min

Temps de cuisson : 1h

560 ml (2 ¼ tasses) de farine à gâteau

310 ml (1 ¼ tasse) de sucre

15 ml (1 c. à soupe) de levure chimique (poudre à pâte)

Une pincée de sel

6 jaunes d'œufs

180 ml (¾ tasse) d'eau

125 ml (½ tasse) d'huile végétale

Le zeste d'un citron

Le jus d'un citron

8 blancs d'œufs

2 ml (½ c. à thé) de crème de tartre

60 ml (¼ tasse) de sucre

1. Préchauffer le four à 160 °C (325 °F).

2. Bien tamiser la farine, le sucre, la levure chimique et le sel.

3. Dans un grand bol, fouetter les jaunes d'œufs avec l'eau, l'huile, le zeste et le jus de citron.

4. Incorporer délicatement le mélange de farine en tamisant de nouveau. Remuer à l'aide d'une spatule pour garder la préparation souple.

5. Fouetter les blancs d'œufs avec la crème de tartre. Ajouter 60 ml (¼ tasse) de sucre et monter en neige.

6. Incorporer délicatement les blancs d'œufs à la première préparation. Plier délicatement la pâte à l'aide d'une spatule.

7. Verser dans un moule à cheminée haut et cuire 1 h à 160 °C (325 °F).

8. Sortir du four. Renverser le gâteau dans une assiette sans retirer le moule et laisser refroidir.

9. Démouler complètement et servir avec de la crème anglaise et des petits fruits de saison.

Notes

Faites un délicieux gâteau à l'orange en remplaçant le jus et le zeste de citron par du jus et du zeste d'orange.

Ce gâteau se congèle bien.

MarieJosée voue un amour inconditionnel au citron et aux bonbons. Lorsqu'elle était enfant, je retrouvais de nombreux papiers de bonbons sous son matelas. Aujourd'hui encore, il n'est pas rare qu'elle termine son repas par une bonne réglisse. C'est son péché mignon.

Voici le dessert le plus convoité qui soit. S'il y a des restes au frigo, je vous assure qu'il y aura plusieurs allées et venues dans la cuisine pendant la nuit et un plat vide sur le comptoir au petit matin!

8 à 10 portions
Préparation : 20 min
Temps de cuisson : 20 min

Croûte

500 ml (2 tasses) de chapelure de biscuits Graham

80 ml (⅓ tasse) de beurre, fondu

60 ml (¼ tasse) de sucre

Crème pâtissière

160 ml (⅔ tasse) de sucre

80 ml (⅓ tasse) de farine

500 ml (2 tasses) de lait

3 œufs, battus

5 ml (1 c. à thé) de vanille

Une pincée de sel

5 ml (1 c. à thé) de beurre

Crème fouettée

250 ml (1 tasse) de crème 35 %

45 ml (3 c. à soupe) de sucre

Le décadent trois étages

Croûte

1. Préchauffer le four à 180 °C (350 °F).

2. Mélanger les ingrédients qui composent la croûte et couvrir le fond d'un moule carré ou d'un moule à fond détachable de 23 cm (9 po).

3. Cuire 8 min et laisser refroidir.

Crème pâtissière

1. Mélanger le sucre et la farine. Ajouter le lait et remuer. Cuire à feu moyen jusqu'à ébullition en remuant sans cesse.

2. Battre les œufs avec la vanille et le sel, puis verser dans le lait. Cuire environ 2 min, sans cesser de remuer, jusqu'à épaississement.

3. Ajouter le beurre, remuer et verser dans la croûte. Laisser refroidir au réfrigérateur ou à température ambiante.

Crème fouettée

1. Fouetter la crème, ajouter le sucre et verser sur la crème pâtissière refroidie.

Notes

Vous pouvez remplacer la crème fouettée par des fruits (quartiers de pêche ou de poire, petits fruits d'été, etc.).

L'essence de vanille peut être remplacée par de l'essence ou du zeste de citron ou encore de la fleur d'oranger.

Îles flottantes

8 portions
Préparation : 20 min
Temps de cuisson : 15 min

Sauce aux jaunes d'œufs

180 ml (¾ tasse) de sucre

15 ml (1 c. à soupe) de fécule
de maïs

6 jaunes d'œufs, légèrement battus

1 litre (4 tasses) de lait

5 ml (1 c. à thé) de vanille

Meringues

6 blancs d'œufs

1 ml (¼ c. à thé) de sel

310 ml (1 ¼ tasse) de sucre

Sucre d'érable granulé ou râpé
finement

Sauce aux jaunes d'œufs

1. Dans la partie supérieure d'un bain-marie, mélanger le sucre et la fécule de maïs.

2. Ajouter les jaunes d'œufs et mélanger. Délayer avec le lait.

3. Cuire en remuant sans cesse environ 10 min, jusqu'à consistance crémeuse. Ajouter la vanille, couvrir et réserver.

Meringues

1. Dans un bol, battre les blancs d'œufs avec le sel jusqu'à ce qu'ils forment des pics mous.

2. Ajouter le sucre, un peu à la fois, en fouettant jusqu'à ce que la meringue soit ferme.

3. Remplir une poêle d'eau aux trois quarts et porter à ébullition. Baisser le feu. Déposer la meringue par grosses cuillerées sur l'eau bouillante. Pocher pendant 5 min. Égoutter les meringues cuites sur du papier essuie-tout.

4. Verser la sauce aux jaunes d'œufs dans un grand bol. Poser les meringues sur la sauce. Garnir de sucre d'érable.

Notes

Utilisez la sauce aux jaunes d'œufs pour préparer des desserts vite faits. Elle est délicieuse sur un gâteau au citron ou un quatre-quarts du commerce.

Mélangez de la sauce aux jaunes d'œufs à 250 ml (1 tasse) de riz cuit pour faire un pouding au riz en un clin d'œil.

J'ai Toujours aimé vivre en ville. Il y a 20 ans, ayand mon mari m'a montré la fermette en disant « voici notre plan de retraite », j'ai eu un véritable choc. Aujourd'hui, après des années de Travail acharné, je considère ay'il s'agiT d'un lieu de rêve.

Cette recette nous vient de Claire, la meilleure amie de la Terre et de nos artères. Elle nous a convaincus qu'une bonne alimentation est un gage de bien-être physique et mental.

Muffins à la citrouille de Claire

12 muffins

Préparation : 15 min

Temps de cuisson : 30 min

180 ml (¾ tasse) de son entier

180 ml (¾ tasse) de farine de blé entier

125 ml (½ tasse) de sucre

7 ml (1 ½ c. à thé) de cannelle moulue

5 ml (1 c. à thé) de levure chimique (poudre à pâte)

5 ml (1 c. à thé) de bicarbonate de soude

2 ml (½ c. à thé) de sel

250 ml (1 tasse) de raisins secs

125 ml (½ tasse) de grains de chocolat

250 ml (1 tasse) de purée de citrouille

2 œufs

125 ml (½ tasse) d'huile végétale

125 ml (½ tasse) de yogourt nature

1. Préchauffer le four à 200 °C (400 °F).

2. Dans un grand bol, mélanger les ingrédients secs ainsi que les raisins secs et les grains de chocolat.

3. Dans un autre bol, mélanger la purée de citrouille, les œufs, l'huile et le yogourt. Incorporer aux ingrédients secs.

4. Verser dans des moules à muffins antiadhésifs.

5. Cuire au four de 25 à 30 min.

Purée de citrouille

1. Couper une citrouille en gros morceaux. Épépiner et déposer sur une plaque. Cuire au four à 180 °C (350 °F) environ 45 min, jusqu'à ce qu'elle soit tendre. Diviser la purée en portions de 250 ml (1 tasse) et congeler. Vous en aurez ainsi toujours à portée de la main pour préparer ces muffins.

Notes

Remplacez la citrouille par des courgettes, des carottes ou des bananes.

Vous pouvez ajouter 45 ml (3 c. soupe) de graines de lin moulues pour combler votre apport quotidien en oméga-3.

8 portions

Préparation : 40 min

8 oranges Navel

1 boîte de 300 ml (10 oz) de lait
concentré sucré

60 ml (¼ tasse) de jus de citron,
fraîchement pressé

250 ml (1 tasse) de crème 35 %

8 feuilles de menthe

Astuces

*Vous pouvez faire cette recette
avec des pamplemousses ou
des citrons.*

*Pour vos repas gastronomiques,
servez les oranges sur un fond
de chocolat et ornez les assiettes
avec des petits fruits disposés
en éventail.*

Oranges givrées

1. Prélever un capuchon de 1,25 cm (½ po) sur le dessus des oranges et réserver.

2. Évider les oranges de leur pulpe en veillant à ne pas abîmer l'écorce. Conserver la pulpe et le jus qui en sortira. Mettre les écorces et les capuchons au réfrigérateur.

3. À l'aide du robot de cuisine, réduire la pulpe et le jus en purée. Ajouter le lait concentré sucré et le jus de citron. Réserver.

4. Fouetter la crème et l'ajouter à la purée en pliant doucement à l'aide d'une spatule pour éviter que la préparation ne s'affaisse.

5. Remplir les écorces avec la préparation. Mettre les capuchons en place et congeler toute la nuit.

6. Sortir les oranges 20 min avant de les servir. Garnir d'une feuille de menthe.

Cette succulente recette est un cadeau de mon amie
Marie à qui je voue une grande admiration pour
son travail d'enseignante en art culinaire auprès des
adolescents. Je regrette que ce cours ne soit plus
au programme dans nos écoles.

Cette recette de gâteau blanc me rappelle ma mère, cette femme fière, toujours chic, qui malgré son âge avancé ne se plaignait jamais. Elle aimait porter des talons hauts même en hiver. Elle avait une grande complicité avec ses arrière-petits-enfants qui ont eu la chance de bien la connaître.

Gâteau blanc

4 à 6 portions

Préparation : 20 min

Temps de cuisson : 40 min

125 ml (½ tasse) de beurre

250 ml (1 tasse) de sucre

2 œufs

375 ml (1 ½ tasse) de farine à
  pâtisserie

7 ml (1 ½ c. à thé) de levure
  chimique (poudre à pâte)

1 ml (¼ c. à thé) de sel

5 ml (1 c. à thé) de vanille

60 ml (¼ tasse) de lait

750 ml (3 tasses) de fruits frais
  ou congelés (fraises, prunes,
  pêches, etc.)

250 ml (1 tasse) de sucre

1. Préchauffer le four à 190 °C (375 °F).

2. Dans un grand bol, défaire le beurre en crème à l'aide du batteur électrique. Ajouter le sucre et les œufs et bien battre.

3. Dans un autre bol, tamiser les ingrédients secs et les mélanger avec la vanille et les ingrédients du premier bol en alternant avec le lait.

4. Mettre les fruits et le sucre dans un plat en grès.

5. Verser la préparation sur les fruits.

6. Cuire au four de 35 à 40 min. Servir le gâteau tiède ou chaud avec de la crème fraîche ou de la crème glacée.

7. Variante : On peut faire cuire la préparation dans des petits moules (voir photo). Enlever le capuchon des gâteaux cuits et farcir de garniture au citron.

Carrés de Rice Krispies réinventés

24 carrés

Préparation : 10 min

Temps de cuisson : 15 min

1 litre (4 tasses) de riz croustillant
  (Rice Krispies) ou 750 ml
  (3 tasses) de céréales Croque
  Nature

125 ml (½ tasse) de sirop de maïs

250 ml (1 tasse) de cassonade

125 ml (½ tasse) de beurre

150 ml (½ boîte) de lait concentré
  sucré

1. Déposer les céréales dans un grand bol.

2. Dans une casserole, mélanger le sirop, la cassonade et le beurre. Chauffer à feu moyen en remuant. Retirer du feu dès que la préparation commence à bouillir.

3. Ajouter le lait concentré et remuer 10 min à feu doux.

4. Verser sur les céréales. Mélanger et étendre dans un plat beurré de 23 x 23 cm (9 x 9 po). Découper en carrés.

Croûte

Utilisez la même pâte que pour la tarte aux canneberges, aux poires et au gingembre (page 184).

Garniture

1,4 kg (3 lb) de pommes Cortland pelées, épépinées et coupées en tranches

30 ml (2 c. à soupe) de beurre

Le zeste râpé et le jus d'un citron

80 ml (⅓ tasse) de sucre

2 ml (½ c. à thé) de cannelle moulue

1 ml (¼ c. à thé) de muscade moulue

250 ml (1 tasse) de crème sure

45 ml (3 c. à soupe) de farine

1 œuf

60 ml (¼ tasse) de cassonade

Mélange croustillant

60 ml (¼ tasse) de farine

60 ml (¼ tasse) de cassonade

60 ml (¼ tasse) de beurre

125 ml (½ tasse) de noix de Grenoble, hachées

Dorure

1 jaune d'œuf, battu

15 ml (1 c. à soupe) d'eau froide

Tarte aux pommes à la crème sure

1. Faire la croûte en suivant les étapes 1 et 2 de la Tarte aux canneberges, aux poires et au gingembre (page 184).

2. Préchauffer le four à 190 °C (375 °F).

3. Cuire les pommes dans le beurre avec le zeste et le jus de citron, le sucre, la cannelle et la muscade. Réserver.

4. Abaisser la pâte en un grand cercle de 28 cm (11 po) de diamètre et l'étendre dans un moule à tarte de 23 cm (9 po) en la laissant déborder tout autour de l'assiette.

5. Mélanger la crème sure, la farine, l'œuf et la cassonade. Mélanger avec les pommes et verser dans la croûte.

6. Dans un petit bol, préparer le mélange croustillant en remuant la farine et la cassonade. Ajouter le beurre et le couper en petits morceaux. Incorporer les noix et étaler uniformément sur la tarte.

7. Rabattre grossièrement la pâte sur la garniture. Mélanger l'œuf et l'eau et badigeonner la pâte. Cuire au four environ 45 min, jusqu'à ce que la pâte soit dorée.

Astuce

Servez cette tarte chaude avec une boule de crème glacée à la vanille.

Tout le monde a sa recette de Tarte aux pommes, mais celle-ci est Tout à fait particulière à cause de ses ingrédients et de sa présentation. J'ai Toujours beaucoup de succès avec ce dessert.

À la fermette, je conserve des pots de jujubes, de réglisses et de chocolats dans un endroit que les enfants ont baptisé « la mine ». Inutile de vous dire que ce lieu est particulièrement fréquenté pendant le week-end...

Tarte au citron

8 portions

Préparation : 35 min

Temps de cuisson : 25 min

Pâte brisée

80 ml (⅓ tasse) de saindoux (Tenderflake)

250 ml (1 tasse) de farine tout usage

Une pincée de sel

Environ 60 ml (¼ tasse) d'eau glacée

Garniture au citron

250 ml (1 tasse) de sucre

60 ml (¼ tasse) de fécule de maïs

500 ml (2 tasses) d'eau bouillante

Le zeste d'un citron

3 jaunes d'œufs

30 ml (2 c. à soupe) de beurre

Le jus d'un citron, fraîchement pressé

Meringue

3 blancs d'œufs

Une pincée de sel

6 c. à soupe de sucre

Astuce

Pour faire la pâte au robot de cuisine, mettez tous les ingrédients, sauf l'eau, et actionnez l'appareil à quelques reprises. Verser de l'eau peu à peu jusqu'à formation d'une boule.

Pâte brisée

1. Couper le saindoux dans la farine et le sel. Ajouter l'eau glacée. À l'aide d'un coupe-pâte, mélanger jusqu'à ce que la pâte ne colle plus au bol. Former une boule et réserver 30 min au réfrigérateur.

2. Abaisser la pâte à l'aide d'un rouleau à pâtisserie et l'étendre dans un moule à tarte. Piquer la pâte. Cuire 10 min à 230 °C (450 °F).

Garniture au citron

1. Mélanger le sucre et la fécule de maïs. Ajouter l'eau bouillante et le zeste de citron. Cuire lentement, en remuant sans cesse, jusqu'à ce que la préparation soit transparente.

2. Battre les jaunes d'œufs à l'aide d'une fourchette. Mélanger avec une cuillerée de la préparation chaude pour les réchauffer.

3. Incorporer les jaunes d'œufs à la garniture en remuant rapidement. Cuire à feu doux de 1 à 2 min et retirer du feu.

4. Ajouter le beurre et le jus de citron. Verser dans l'abaisse cuite et garnir de meringue.

Meringue

1. Préchauffer le four à 180 °C (350 °F).

2. À l'aide du batteur électrique, monter les blancs d'œufs en neige avec le sel. Quand ils forment des pics, ajouter le sucre peu à peu sans cesser de battre. Verser sur la préparation au citron.

3. Faire dorer au four environ 10 min.

8 portions
Préparation : 25 min
Temps de cuisson : 50 min

Croûte

430 ml (1 ¾ tasse) de farine

Une pincée de sel

30 ml (2 c. à soupe) de sucre

180 ml (¾ tasse) de beurre glacé,
en morceaux

Environ 80 ml (⅓ tasse) d'eau glacée

Garniture

2 poires Bosc pelées, épépinées et
coupées en fines tranches

7 ml (1 ½ c. à thé) de gingembre
frais, râpé

180 ml (¾ tasse) de sucre

30 ml (2 c. à soupe) de farine

125 ml (½ tasse) de sirop d'érable

750 ml (3 tasses) de canneberges
fraîches ou congelées

Tarte aux canneberges, aux poires et au gingembre

1. À l'aide du robot de cuisine, mélanger la farine, le sel et le sucre. Ajouter le beurre.

2. Mettre l'appareil en marche à quelques reprises pour couper grossièrement le beurre dans la farine. Ajouter 60 ml (¼ tasse) d'eau glacée et remettre l'appareil en marche. Continuer d'ajouter de l'eau jusqu'à formation d'une boule. Envelopper la pâte dans de la pellicule plastique et réfrigérer 30 min.

3. Préchauffer le four à 190 °C (375 °F).

4. Dans une casserole, cuire les ingrédients qui composent la garniture jusqu'à ce que les canneberges éclatent. Retirer du feu et laisser refroidir quelques minutes.

5. Abaisser la pâte et l'étendre dans un moule à tarte à fond amovible de 23 cm (9 po). Remplir avec la garniture. Cuire environ 40 min.

Je me considère privilégiée de pouvoir rassembler très souvent ma famille à la Maison verte. Nous sommes souvent 15 autour de la Table, mais ce n'est jamais épuisant puisque tout le monde apporte sa contribution.

Tarte chiffon au citron

8 portions
Préparation : 30 min
Temps de cuisson : 12 min

Croûte

500 ml (2 tasses) de biscuits Graham, écrasés

125 ml (½ tasse) de beurre, fondu

60 ml (¼ tasse) de sucre

Garniture

4 jaunes d'œufs

Le zeste d'un citron

160 ml (⅔ tasse) de sucre

125 ml (½ tasse) de jus de citron, fraîchement pressé

1 enveloppe de gélatine sans saveur

60 ml (¼ tasse) d'eau froide ou de vin blanc

4 blancs d'œufs

Croûte

1. Préchauffer le four à 180 °C (350 °F).

2. Mélanger tous les ingrédients qui composent la croûte et tapisser le fond d'un moule rond à fond amovible.

3. Cuire au four 8 min et laisser refroidir.

Garniture

1. Battre les jaunes d'œufs, le zeste et la moitié du sucre jusqu'à consistance mousseuse.

2. Porter le jus de citron jusqu'au point d'ébullition sans le laisser bouillir davantage. Verser en filet sur les jaunes d'œufs tout en fouettant. Réserver.

3. Dans un bol, laisser gonfler la gélatine 5 min dans l'eau froide ou le vin.

4. Faire fondre la gélatine au-dessus d'un bol d'eau chaude. Laisser tiédir. À l'aide d'un fouet, incorporer la gélatine aux jaunes d'œufs. Réfrigérer jusqu'à ce que la préparation commence à prendre.

5. Fouetter les blancs d'œufs. Ajouter le sucre restant et continuer de fouetter jusqu'à formation de pics fermes.

6. Incorporer les jaunes d'œufs dans les blancs en pliant délicatement à l'aide d'une spatule. Verser dans la croûte et réfrigérer 3 h.

7. Démouler et garnir de fleurs comestibles au goût.

Œufs dans le sirop de grand-maman Rose

5 portions

Préparation : 5 min

Temps de cuisson : 5 min

1 boîte de 370 ml (13 oz) de sirop d'érable

5 œufs

1. Dans une casserole, verser le sirop d'érable et porter à ébullition. Laisser bouillir 1 min.

2. Ajouter les œufs un à un en remuant avec une fourchette. Retirer du feu dès que les œufs sont coagulés.

3. Servir ces œufs chauds ou froids.

Note

Les œufs chauds sont particulièrement délicieux sur un gâteau blanc.

Salade de fruits en panier de melon d'eau

12 portions

Préparation : 25 min

1 gros melon d'eau (pastèque), égrené

1 cantaloup, en cubes

1 melon de miel, en cubes

2 ou 3 grappes de raisins rouges et verts entiers

25 fraises, en quartiers

3 kiwis, en morceaux

1 ananas, en cubes

1 paquet de mûres entières

15 ml (1 c. à soupe) de menthe fraîche, ciselée

1. Découper le melon d'eau pour en faire un panier muni d'une anse. Décorer à l'aide d'un petit couteau ou d'un zesteur.

2. Prélever la chair du melon d'eau et couper en cubes. Réserver.

3. Dans un grand bol, mélanger ensemble les fruits qui devraient tous être plus ou moins de même grosseur. Ajouter la menthe et remuer délicatement.

4. Mettre les fruits dans le panier et servir au centre de la table.

Astuce

J'aime parfumer parfois ma salade de fruits avec 30 ml (2 c. à soupe) d'eau de rose, de jus d'orange ou de Cointreau.

Jehane Benoit a été la première à m'engager comme styliste culinaire. Elle a été une pionnière grâce à sa célèbre encyclopédie qui a su Traverser le Temps.

Voici deux objets de convoitise à la fin d'un copieux repas: les litchis pour leur fraîcheur et les truffes pour leur goût délicat.

Raisins et litchis glacés

4 portions

Préparation : 5 min

20 à 30 raisins rouges

20 à 30 raisins verts

12 à 15 litchis frais dans leur écorce

Note

Utilisez des raisins congelés dans vos boissons au lieu des glaçons.

1. Mettre les raisins et les litchis sur une plaque à pâtisserie et congeler toute la nuit.

2. Sortir les fruits du congélateur 5 min avant de les servir dans un joli plat posé au centre de la table. Les litchis s'éplucheront facilement en dégelant tout doucement.

Truffes

12 truffes

Préparation : 35 min

Temps de cuisson : 30 sec

Truffes à la lime

60 ml (¼ tasse) de crème 35 %

8 carrés de chocolat blanc, hachés

15 ml (1 c. à soupe) de zeste de lime, râpé

Le jus d'une lime, fraîchement pressé

Garniture

125 ml (½ tasse) de pacanes, hachées finement

30 ml (2 c. à soupe) de zeste de lime

Truffes à la crème irlandaise

60 ml (¼ tasse) de crème 35 %

8 carrés de chocolat mi-sucré, haché

45 ml (3 c. à soupe) de crème irlandaise (type Baileys)

Cacao en poudre

Truffes à la lime

1. Dans un bol en verre, chauffer la crème à allure maximale 30 sec au micro-ondes.

2. Ajouter le chocolat et laisser fondre en remuant. Ajouter le zeste et le jus de lime et bien remuer. Réfrigérer 2 h pour faire durcir le chocolat.

3. Prélever des cuillerées à soupe de chocolat et les mettre au fur et à mesure sur une tôle à biscuits tapissée de papier parchemin. Réfrigérer pendant 1 h.

4. Façonner les cuillerées en boules avec les mains.

5. Mélanger les pacanes et le zeste de lime dans une assiette. Enrober les boules en les roulant dans l'assiette et les remettre au réfrigérateur. Sortir les boules 45 min avant de servir.

Truffes à la crème irlandaise

1. Procéder de la même manière que pour les truffes à la lime.

2. Rouler les truffes dans le cacao.

Sucre à la crème

30 morceaux

Préparation : 15 min

Temps de cuisson : 9 min

250 ml (1 tasse) de sucre

250 ml (1 tasse) de cassonade

250 ml (1 tasse) de crème 35 %

5 ml (1 c. à thé) de vanille

60 ml (¼ tasse) de noix hachées
(facultatif)

Note

*J'ajoute des noix pour faire
plaisir à grand-papa.*

Cuisson au micro-ondes

1. Dans un bol qui convient au micro-ondes, mélanger le sucre, la cassonade et la crème.

2. Cuire 9 min à allure maximale en remuant environ deux fois en cours de cuisson.

3. Mettre le bol dans un plat rempli de glaçons.

4. Ajouter la vanille. Mélanger à l'aide du batteur électrique environ 2 min, jusqu'à ce que la préparation perde son aspect lustré. Ajouter les noix.

5. Verser dans un plat beurré et laisser refroidir complètement avant de découper.

Cuisson sur la cuisinière

1. Mélanger le sucre, la cassonade et la crème dans une casserole haute.

2. Cuire à feu doux en mélangeant sans cesse. Quand la préparation commence à bouillir, cesser de mélanger. Attendre que le thermomètre à bonbons indique 115 °C (240 °F).

3. Verser dans un plat beurré et laisser tiédir.

4. Ajouter la vanille. Mélanger jusqu'à ce que la préparation perde son aspect lustré. Ajouter les noix.

5. Verser dans un plat beurré et laisser refroidir complètement avant de découper.

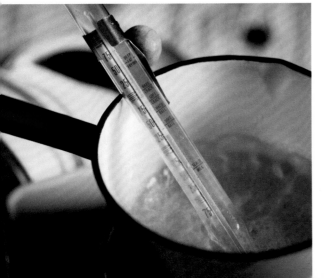

Rosalie dit souvent aye sa grand-maman fait les meilleurs desserts. Il est vrai aye j'ai toujours eu la dent sucrée.

Selon moi, il faut prendre autant de temps à préparer l'ambiance, la table et la présentation que le repas lui-même. Lorsque les cinq sens sont stimulés, le succès est assuré.

Tartelettes aux pacanes

12 portions

Préparation : 10 min

Temps de cuisson : 20 min

12 tartelettes du commerce, cuites

125 ml (½ tasse) de pacanes, hachées

4 œufs

80 ml (⅓ tasse) de cassonade

80 ml (⅓ tasse) de sirop de maïs

160 ml (⅔ tasse) de sirop d'érable

12 pacanes entières

1. Préchauffer le four à 180 °C (350 °F).

2. Couvrir le fond des tartelettes avec les pacanes hachées.

3. Dans un bol, mélanger tous les autres ingrédients, sauf les pacanes entières. Verser dans les tartelettes.

4. Garnir chaque tartelette avec une pacane entière. Cuire 20 min au four. Laisser refroidir avant de servir.

Note

Vous pouvez utiliser la même garniture pour une abaisse de 23 cm (9 po).

Tartelettes au sirop d'érable

12 portions

Préparation : 10 min

Temps de cuisson : 12 min

12 tartelettes du commerce, congelées

60 ml (¼ tasse) de beurre

80 ml (⅓ tasse) de farine

250 ml (1 tasse) de sirop d'érable

125 ml (½ tasse) d'eau chaude

60 ml (¼ tasse) de noix, hachées

Crème fouettée (facultatif)

1. Faire fondre le beurre dans une casserole. Ajouter la farine, le sirop et l'eau. Laisser cuire jusqu'à ce que la préparation soit transparente.

2. Cuire les tartelettes 12 min au four à 180 °C (350 °F).

3. Verser la garniture dans les tartelettes. Ajouter les noix et la crème.

40 morceaux

Préparation : 10 min

Temps de cuisson : 15 min

250 ml (1 tasse) de sucre

250 ml (1 tasse) de sirop de maïs

20 ml (4 c. à thé) de bicarbonate
de soude

Note

*Évitez de trop faire cuire le sucre
sinon la tire-éponge aura un
goût brûlé.*

50 morceaux

Préparation : 1 h

Temps de cuisson : 15 min

250 ml (1 tasse) de sucre

250 ml (1 tasse) de cassonade

250 ml (1 tasse) de mélasse

125 ml (½ tasse) de sirop de maïs

125 ml (½ tasse) d'eau

15 ml (1 c. à soupe) de vinaigre
blanc

15 ml (1 c. à soupe) de beurre

5 ml (1 c. à thé) de bicarbonate
de soude

Note

*Mettez les enfants à
contribution pour étirer la tire
et la mettre en papillotes.*

Tire-éponge

1. Dans une grande casserole d'au moins 6 litres
   (24 tasses), bien mélanger le sucre et le sirop de maïs.

2. Porter à ébullition et laisser bouillir jusqu'à ce que le
   thermomètre à bonbons indique 150 °C (300 °F).

3. Retirer immédiatement la casserole du feu et la déposer
   dans l'évier rempli d'eau au quart pour arrêter la cuisson.
   Tamiser le bicarbonate de soude dans la casserole et bien
   remuer. Il se produira alors une effervescence qui
   donnera à la tire sa texture spongieuse.

4. Verser dans un grand bol en pyrex de 30 x 20 x 5 cm
   (12 x 8 x 2 po) généreusement beurré.

5. Laisser refroidir la tire-éponge avant de la casser en
   morceaux.

Tire Sainte-Catherine

1. Dans une casserole, mélanger le sucre, la cassonade, la
   mélasse, le sirop de maïs, l'eau, le vinaigre et le beurre.

2. Porter à ébullition et cuire jusqu'à 126 °C (260 °F) en
   vérifiant la température à l'aide d'un thermomètre à
   bonbons. Retirer du feu immédiatement.

3. Tamiser le bicarbonate de soude au-dessus de la
   préparation tout en remuant très rapidement.

4. Verser sur une tôle beurrée ou une plaque de marbre
   beurrée. Laisser refroidir le mélange jusqu'à ce qu'il
   soit assez tiède pour être manipulé. Avec les mains bien
   beurrées, étirer jusqu'à ce que la tire soit mate et d'un
   beau blond doré.

5. Couper en morceaux et envelopper dans des papillotes
   de papier ciré.

J'ai conservé une vieille habitude de ma mère en gardant toujours un plat de bonbons au salon. C'est par ce genre de détails que je constate à quel point elle m'a influencée.

J'ai une grande admiration pour mon mari, car il a su vivre son rêve jusqu'au bout. Il m'a toujours dit avec conviction aye « le bonheur est dans le Tournant ». J'y crois plus aye jamais aujourd'hui.

Carrés aux dattes

12 carrés

Préparation : 20 min

Temps de cuisson : 40 min

1 paquet de dattes de 500 g (1 lb)

250 ml (1 tasse) de jus d'orange, fraîchement pressé

180 ml (¾ tasse) de beurre

250 ml (1 tasse) de cassonade

250 ml (1 tasse) de farine de blé entier

500 ml (2 tasses) de flocons d'avoine

Notes

Doublez la recette et congelez-en.

Vous pouvez mettre plus de flocons d'avoine. J'aime les gros flocons à l'ancienne.

Parfois, j'ajoute le zeste de l'orange dans la préparation.

1. Préchauffer le four à 180 °C (350 °F).

2. Dans une casserole, cuire les dattes dans le jus d'orange de 8 à 10 min à feu doux. Remuer jusqu'à consistance lisse et réserver.

3. Dans un autre bol, battre le beurre en crème avec la cassonade. Incorporer la farine et les flocons d'avoine en remuant jusqu'à consistance granuleuse.

4. Tasser les deux tiers du mélange dans un moule beurré de 23 x 23 cm (9 x 9 po).

5. Ajouter les dattes et le reste du mélange. Cuire au four de 25 à 30 min.

Punch des grandes occasions

12 portions
Préparation : 20 min

Couronne glacée

Eau

Fruits (agrumes, canneberges)

Fleurs comestibles

Punch

500 ml (2 tasses) de jus de pamplemousse rose

500 ml (2 tasses) de jus de canneberge

125 ml (½ tasse) de jus de citron, fraîchement pressé

2 oranges, en tranches

1 bouteille de vin mousseux

125 ml (½ tasse) de canneberges congelées

Couronne glacée

1. Verser un peu d'eau dans un moule en forme d'anneau. Laisser congeler à moitié.

2. Disposer harmonieusement des fruits et des fleurs sur l'eau gelée à moitié.

3. Laisser congeler complètement. Remplir le moule d'eau. Laisser congeler complètement jusqu'au moment de servir.

4. Pour démouler, passer le moule à l'eau tiède. Déposer la couronne dans le punch et servir immédiatement.

Punch

1. Dans un grand bol à punch, mélanger ensemble les jus et les oranges.

2. Au moment de servir, ajouter la bouteille de mousseux, les canneberges congelées et la couronne glacée.

Marie-Josée et moi avons Tellement de beaux souvenirs de l'émission Bon appétit, surtout des bloopers mémorables, des fous rires incontrôlables et de la complicité de toute l'équipe.

Je garde Toujours des canneberges au congélateur. J'en ajoute souvent à mes gâteaux, muffins et biscuits.

12 portions

Préparation : 15 min

500 ml (2 tasses) de jus de
   pamplemousse rose

250 ml (1 tasse) de jus de canneberge

Le jus d'un citron, fraîchement pressé

Le zeste d'un citron, découpé en
   rubans

6 canneberges fraîches, coupées
   en deux

Note

*Le granité est un dessert
attrayant et fort rafraîchissant.*

12 portions

Préparation : 20 min

500 ml (2 tasses) d'eau

125 ml (½ tasse) de sucre

1 bouteille de cidre de glace
   de 375 ml

Le zeste d'une orange, découpé en
   rubans

12 feuilles de menthe fraîche

Granité
de pamplemousse rose
et de canneberge

1. Mélanger les trois jus dans un plat assez large et
   congeler.

2. Gratter la préparation à l'aide d'une fourchette et
   congeler de nouveau.

3. Servir dans des petites coupes ou des verres à liqueur
   avec un ruban de zeste de citron et une demi-
   canneberge fraîche.

Granité
de cidre de glace

1. Porter l'eau et le sucre à ébullition et laisser refroidir.

2. Ajouter le cidre de glace et congeler. Gratter la
   préparation à l'aide d'une fourchette et congeler de
   nouveau.

3. Servir dans des verres fins avec un ruban de zeste
   d'orange et une feuille de menthe.

Marinades,
condiments
ET conserves

Confiture de fraises

4 pots de 250 ml (1 tasse)

12 casseaux de fraises, équeutées

Poids égal en sucre

ou

2 quantités de fraises pour
1 quantité de sucre
(ex.: 1 litre (4 tasses) de fraises
pour 500 ml (2 tasses) de sucre)

1. Mettre les fraises dans un grand bol. Ajouter le poids égal en sucre. Laisser reposer toute la nuit.

2. Mettre dans une casserole à feu doux. Porter à ébullition et laisser bouillir 20 min à feu moyen. Écumer de temps à autre. Laisser refroidir la confiture dans la casserole.

3. Verser dans des bocaux stérilisés et bien fermer les couvercles. Cette confiture se conserve longtemps au réfrigérateur ou au congélateur.

Note : Cette confiture étant légère, je la conserve au congélateur. N'oubliez pas de congeler des fraises nature lorsqu'elles sont abondantes en été. Équeutez-les et congelez-les sur une plaque de cuisson sur une seule couche. Mettez-les ensuite dans des pots à congélation en retirant le plus d'air possible.

Confiture de fraises congelées

4 pots de 250 ml (1 tasse)

1 litre (4 tasses) de fraises fraîches,
équeutées

500 ml (2 tasses) de sucre

1. Hacher les fraises à l'aide du robot de cuisine. Mettre dans un bol et ajouter le sucre.

2. Laisser reposer à température ambiante de 2 à 3 h, jusqu'à dissolution du sucre.

3. Verser dans des contenants de plastique et congeler.

Note : Laissez décongeler la confiture au réfrigérateur et gardez-la au froid jusqu'au moment de servir. Elle peut être utilisée comme garniture pour la crème glacée, les crêpes, le yogourt et bien d'autres choses.

Ketchup aux fruits

6 pots de 250 ml (1 tasse)

6 pêches, pelées, dénoyautées et coupées en petits cubes

6 poires, pelées, épépinées et coupées en petits cubes

6 pommes, pelées, épépinées et coupées en petits cubes

12 tomates rouges, pelées et coupées en petits cubes

6 oignons blancs, en petits cubes

1 pied de céleri, en petits cubes

2 poivrons verts, épépinés et coupés en petits cubes

1 poivron jaune, épépiné et coupé en petits cubes

1 sac d'épices à marinades mélangées

1 piment rouge fort entier

750 ml (3 tasses) de vinaigre blanc

1 litre (4 tasses) de sucre

45 ml (3 c. à soupe) de gros sel

1. Dans une grande casserole assez haute, mettre tous les fruits et les légumes.

2. Rassembler les épices à marinades et le piment fort dans une étamine bien fermée et mettre dans la casserole. Ajouter le vinaigre, le sucre et le sel.

3. Laisser mijoter à feu doux pendant 1 h 15.

4. Retirer l'étamine. Laisser refroidir et verser dans des pots stérilisés.

Note : L'étamine est communément appelée « coton fromage ».

Marmelade aux trois fruits de Jeannine

4 pots de 250 ml (1 tasse)

1 pamplemousse, pelé à vif

1 orange entière, non pelée

1 citron, pelé à vif

Le zeste d'un demi-citron

Eau

Sucre

1. Hacher les fruits en morceaux.

2. Mesurer les fruits et ajouter trois fois la quantité d'eau.

3. Cuire 1 h dans une casserole à feu moyen. Laisser reposer toute la nuit.

4. Mesurer les fruits et ajouter une quantité égale de sucre.

5. Laisser fondre à feu doux 30 min.

6. Laisser refroidir et verser dans des pots stérilisés.

Note : Cette marmelade ajoute une touche exquise au petit-déjeuner. On peut aussi l'offrir en cadeau dans de jolis bocaux. Gardez les noyaux qui libéreront une pectine naturelle pendant la cuisson.

207

Œufs de caille

2 pots de 500 ml (2 tasses)

48 œufs de caille

500 ml (2 tasses) de vinaigre blanc

2 branches de thym frais

Une pincée de sel

Quelques grains de poivre

1. Cuire les œufs à l'eau bouillante pendant 5 min. Passer immédiatement à l'eau froide et écaler.

2. Déposer les œufs dans un pot stérilisé. Ajouter la branche de thym. Remplir de vinaigre. Bien fermer le pot et garder au frais.

Note : Pour obtenir un goût moins vinaigré, mettez une partie d'eau pour trois parties de vinaigre. Servez les œufs de caille en collation avec des craquelins. Ils ajoutent aussi une touche d'originalité aux brunches, aux pique-niques et aux boîtes à lunch. Pour avoir des œufs roses, utilisez du jus de cuisson de betterave mélangé au vinaigre blanc. Quand des enfants viennent à la Maison verte, j'offre à chacun un sac d'œufs de caille.

Betteraves marinées

2 pots de 500 ml (2 tasses)

5 ou 6 betteraves moyennes, bien nettoyées

Eau bouillante salée

750 ml (3 tasses) de vinaigre

60 ml (¼ tasse) de sucre

6 clous de girofle entiers

1. Laisser une longueur de 5 cm (2 po) de fanes aux betteraves.

2. Cuire dans l'eau bouillante salée de 40 à 60 min selon la grosseur.

3. Peler avec les mains sous l'eau froide.

4. Faire fondre le sucre dans le vinaigre. Couper les betteraves en tranches et mettre dans des pots stérilisés avec le vinaigre et les clous de girofle.

Mayonnaise

250 ml (1 tasse)

1 jaune d'œuf

5 ml (1 c. à thé) de moutarde de Dijon

5 ml (1 c. à thé) de sel

2 ml (½ c. à thé) de poivre

180 ml (¾ tasse) d'huile d'olive

10 ml (2 c. à thé) de jus de citron, fraîchement pressé

1. Dans un bol, battre vigoureusement le jaune d'œuf à l'aide d'un fouet ou d'un batteur électrique. Ajouter la moutarde, le sel et le poivre et mélanger 30 sec de plus.

2. Ajouter la moitié de l'huile en un mince filet sans cesser de battre.

3. Ajouter le jus de citron sans cesser de battre.

4. Verser le reste de l'huile et mélanger pour obtenir la consistance d'une mayonnaise.

5. Conserver de 2 à 3 jours au réfrigérateur.

Herbes salées

1 pot de 250 ml (1 tasse)

60 ml (¼ tasse) de carottes, hachées finement

60 ml (¼ tasse) de poireaux, hachés finement

60 ml (¼ tasse) de céleri, haché finement

60 ml (¼ tasse) d'oignons, hachés finement

30 ml (2 c. à soupe) de persil plat frais, haché

30 ml (2 c. à soupe) de ciboulette fraîche, hachée

30 ml (2 c. à soupe) de sarriette fraîche, hachée

30 ml (2 c. à soupe) de feuilles de céleri, hachées

250 ml (1 tasse) ou plus de gros sel

1. Dans un pot transparent à fermeture hermétique, faire alterner un rang de légumes, un rang de fines herbes et un rang de gros sel. Répéter pour remplir le pot.

2. Verser de 15 à 30 ml (1 à 2 c. à soupe) d'eau. Bien fermer le pot et conserver au réfrigérateur.

Note : Les herbes salées rehaussent les soupes, les sauces, les papillotes de légumes, les poissons, les plats mijotés, etc. On peut les conserver longtemps au réfrigérateur.

Chow-chow

4 pots de 250 ml (1 tasse)

½ chou vert, haché finement

2 oignons blancs, hachés

1 poivron rouge, haché

1 poivron vert, haché

1 poivron jaune, haché

6 branches de céleri

Marinade

125 ml (½ tasse) de farine

310 ml (1 ¼ tasse) de sucre

5 ml (1 c. à thé) de moutarde sèche

10 ml (2 c. à thé) de curcuma

5 ml (1 c. à thé) de gros sel

500 ml (2 tasses) de vinaigre blanc

1. Mélanger tous les légumes dans une grande casserole et réserver.

2. Dans une autre casserole, mélanger la farine, le sucre, la moutarde, le curcuma et le sel. Ajouter le vinaigre et dissoudre.

3. Porter à ébullition et laisser bouillir 2 min. Verser sur les légumes et bien remuer. Baisser le feu et laisser mijoter 10 min.

4. Laisser refroidir avant de verser dans des pots stérilisés. Fermer hermétiquement.

Note : Servir le chow-chow avec les viandes grillées, les poissons et les sandwiches. Offrez-en des pots à vos parents et amis. On peut facilement doubler la recette.

Relish maison

6 pots de 250 ml (1 tasse)

3 litres (12 tasses) de concombres, râpés

3 gros oignons, hachés finement

125 ml (½ tasse) de gros sel

Marinade

1,25 litre (5 tasses) de sucre

1 litre (4 tasses) de vinaigre

5 ml (1 c. à thé) de curcuma

5 ml (1 c. à thé) de graines de moutarde

5 ml (1 c. à thé) de graines de céleri

2 ml (½ c. à thé) de clou de girofle moulu

1. Mélanger les concombres, les oignons et le sel dans un grand bol en verre. Laisser dégorger toute la nuit.

2. Le lendemain, rincer les légumes et égoutter dans une passoire. Réserver.

3. Dans une casserole, mélanger tous les ingrédients de la marinade et chauffer à feu moyen-vif jusqu'à dissolution du sucre.

4. Ajouter les légumes et faire bouillir de 15 à 20 min.

5. Verser dans des pots stérilisés et conserver au réfrigérateur.

Vinaigrette balsamique aux agrumes

250 ml (1 tasse)

125 ml (½ tasse) d'huile d'olive

45 ml (3 c. à soupe) de vinaigre balsamique

15 ml (1 c. à soupe) de moutarde de Dijon

60 ml (¼ tasse) de jus d'orange, fraîchement pressé

Poivre du moulin

1. Mélanger tous les ingrédients à l'aide d'un fouet. Conserver au réfrigérateur dans un pot de type Mason.

2. Sortir la vinaigrette quelques minutes avant de servir. On peut la conserver une semaine au réfrigérateur.

Vinaigrette au miso

250 ml (1 tasse)

45 ml (3 c. à soupe) d'huile d'olive

45 ml (3 c. à soupe) de vinaigre de riz

30 ml (2 c. à soupe) de mirin

15 ml (1 c. à soupe) de sauce soya

30 ml (2 c. à soupe) de sirop d'érable

45 ml (3 c. à soupe) de pâte de miso

160 ml (⅔ tasse) de yogourt nature

Sel et poivre

1. Mélanger vigoureusement tous les ingrédients dans un pot de type Mason. Conserver au réfrigérateur.

Suggestions
de menus

Menu de Noël

Gravlax (p. 32) et vodka glacée

Crème de carotte au parfum d'orange (p. 40)

Dinde de Noël (p. 104), pommes de terre
et carottes glacées à l'érable (p. 126)

Canneberges en gelée (du commerce)

Îles flottantes (p. 172)

Plateau de gâteau aux fruits (p. 164)

Brunch du dimanche

Jambon glacé à l'érable (p. 63)

Œufs dans le sirop de grand-maman Rose (p. 188)

Cretons (p. 16)

Œufs de caille (p. 208)

Salade de vermicelles de riz aux mangues
et aux crevettes (p. 51)

Tarte aux tomates (p. 141)

Fèves au lard (p. 95)

Le décadent trois étages (p. 171)

Tarte aux pommes à la crème sure (p. 180)

Salade de fruits en panier de melon d'eau (p. 188)

Party de sportifs

Réception 7 services

Buffet pour 20 personnes

Mille mercis !

Merci à tous ceux qui ont contribué physiquement ou moralement à ce livre qui est un peu le reflet de ma vie.

Le reflet de l'amour d'une femme, d'une mère, d'une grand-mère pour sa famille.

Merci Claude, l'amour de ma vie! Merci à Pierre-André, Marie-Josée et Carl, vous avez toujours été responsables de mes plus grandes joies. Merci à Hélène et à René.

Merci à mes petits-enfants qui ont désiré ce livre comme héritage de mon passage dans leur vie. Merci, Camille, pour ton bon travail.

Merci à toi, Natalie Ménard, ma belle-fille sur qui j'ai pu m'appuyer et avec qui j'ai pu entreprendre cette grande aventure avec assurance. Sans toi, ce livre n'aurait pas vu le jour.

Des mercis bien sentis à Pierre Bourdon pour sa confiance, à Renée Dupont pour sa persévérance et à Isabelle Bluteau pour son dévouement.

À l'équipe de Tango: Pierre, Guy, Jacques et Luce.

À l'équipe des Éditions de l'Homme: Pascale Mongeon, Diane Denoncourt, Nicole Lafond et Linda Nantel.

À Claudine Bachand pour son professionnalisme et l'amour qu'elle porte à notre famille.

À Clodine Desrochers pour son amitié.

À celles qui ont bien voulu partager avec moi leur recette préférée.

À Josée Di Stasio et l'équipe de Taillefer et filles avec qui le travail a commencé à être une partie de plaisir.

Un merci bien particulier à toi, Marie-Josée, ma grande fille, ma complice depuis toujours. Tu as toute mon admiration. Ta force de caractère et ton habileté à entretenir le bonheur autour de toi sont une grande source d'inspiration pour notre famille.

Enfin, merci à vous qui me suivez depuis toutes ces années. Vous me faites tellement plaisir en me permettant de faire partie de votre vie.

Index

Marinades, condiments et conserves

Suggestions de menus

Table des matières

Achevé d'imprimer au Canada
sur les presses de Quebecor World Saint-Jean